★《PINKS》2015年、162×130cm、アクリル・綿布・パネル

# TOIZUMI Keitoku

## 戸泉　恵徳

◉文=志賀信夫

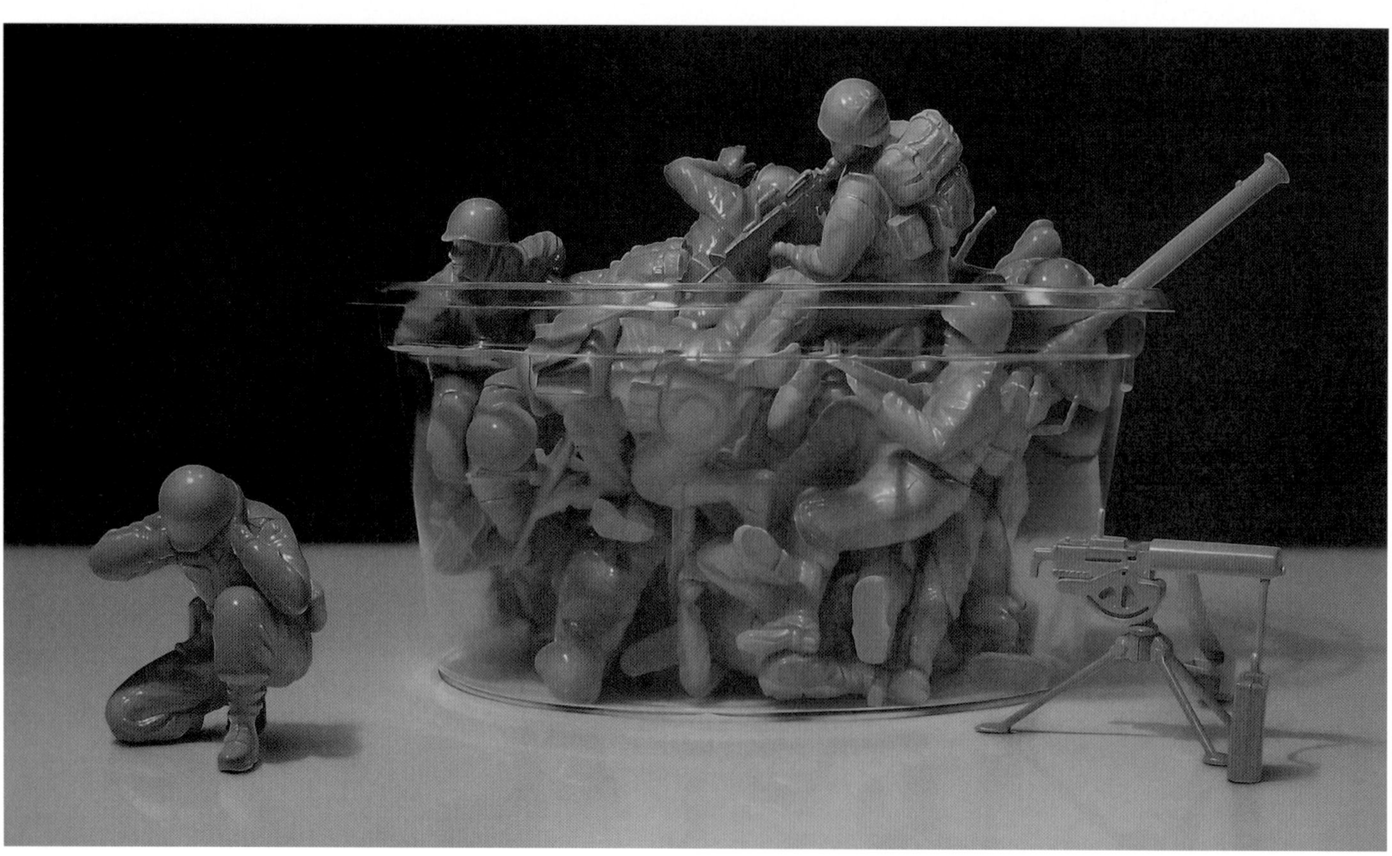

ミリタリーのイメージとは真逆の色を考え
ピンク色の兵士を描いた

★（右頁上）《コワレルハート》2016年、162×194cm、アクリル・綿布・パネル
（右頁下）《still》2017年、112×194cm、アクリル・綿布・パネル
（左頁）《PINKS》2015年、116×116cm、アクリル・綿布・パネル

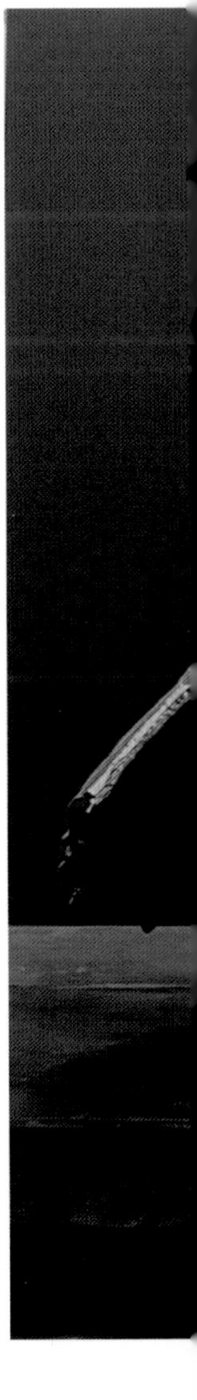

★（右頁上）《黄金のリンゴ》2019年、130×194cm、アクリル・綿布・パネル
（右頁下）《ドラゴンと赤いバラ》2020年、112×194cm、アクリル・綿布・パネル
（左頁）《光り輝くもの》2020年、130×130cm、アクリル・綿布・パネル

★（上）《偽装》2013年、227×162cm、アクリル・キャンバス
（下）《scatty》2010年、130×194cm、アクリル・キャンバス・パネル

★《影ナキ者タチ》2019年、53×72.7cm、アクリル・綿布・パネル

# 写実を極めつつ、リアリティのない戦争を虚しさを込めて描く

## 絵を描くことから離れた大学時代

戸泉恵徳は、ミニチュアや玩具などをリアルに描き、プラスチックなどの質感の生み出す独特のポップ感覚が個性的だが、それは一種の静物画ともいえる。だがなかには兵士や戦争を意識したと思える作品もある。そして、第十回岡本太郎現代芸術賞に入選するなど、現代の新しい美術家として注目されてきた。これらの作品は、どのようにして生まれたのだろうか。

戸泉は、物心ついたときから、お菓子のおまけの小さなプラモデルを作ったり、段ボールなどの空き箱からロボットを作ったり、雑誌の付録など、とにかく何かを作るのが好きだった。

そして、その延長で、小学校では図画工作が好きになり、高校に入学したときには美術部に入り、美大に進むことを考えていた。

だが、地元の福井では東京の美大を目指す人は少なく、高校一年のときの担任教師に、「目指すなら、東京の予備校に行きなさい」といわれ、すいどーばた美術学院の通信教育を受け始めた。そして、二浪して東京造形大学の絵画科に入学した。予備校生の間は、「一日か二日で一枚絵を仕上げる」といった、受験のための絵画をひたすら繰り返し描いていた。課題もモチーフをいつも与えられていたので、その反動からか、大学に入学したときに、「自分で何か表現しなさい」といわれても、何をしたいのか、まったくわからなくなってしまったという。

そして絵画ではどうしても予備校のクセが抜けず、大学一年のころから絵を描かなくなり、シルクスクリーンを使った表現をしたり、監視カメラを使ったインスタレーションのような作品をつくったりしていた。このころから、社会性を作品の表現に取り込もうとし始めた。大学四年ごろには、ブリキのゴミ箱や弁当箱に絵を描くという表現を始めるが、当時はまだ卒業しても作家を続けるという気持ちはなく、「物を作る仕事に携われたらいいかな」ぐらいの気持ちだった。それで卒業後は、おもちゃの原型製作会社に就職をした。

だが、就職して、だれかがデザインした物を形にすることをしているうちに、「やっぱり自分で何かをつくりたい」という気持ちが再び湧き上がり、すぐに会社を辞めてしまった。その後、商業美術の世界に入る。そして、そこで最初に知り合った人に卒業制作の写真を見せたところ、「作品はおもしろいのだから、もっと作って発表したら」といわれた。この一言が作家を目指すきっかけになったという。

## リアルに描くことが武器になる

戸泉は、幼いころ、空想画を描くより写生が得意だった。プラモデルも、箱に描かれたイラスト通りに色を塗ることを好んでいた。観察して再現するということが、自分にとっての「美しい物」だったような気がするという。そして、美大受験という壁にぶつかり、「なにか独自の表現をしなくてはいけない」という状況で、リアルに描くという手段を一度手放す。そこからいろいろ表現を模索するが、結局自分には、「リアルに描くという表現が武器になる」と気づいたのは、大学を卒業してからだった。だから予備校から六年間は、アンチリアル系だったことになる。

★《まぼろし》2018年、直径116cm、アクリル・綿布・パネル

ただ、おもちゃの原型会社の経験も役に立っているようだ。というのは、その仕事は、与えられた三面図を頼りに平らなプラ板を切り抜き、重ね合わせ、求められた立体にするというもの。いわば空間把握、つまり平面を立体に、立体を平面にすることだった。現在の戸泉の表現も、日本画的なフラットな表現ではなく、西洋絵画的三次元空間を描く。だから何か通じているものがあるかもしれないという。

戸泉は、商業美術の世界ではあらゆる絵を描いた。リアル系、可愛い系、抽象、とにかくデカいモノ、縦一〇メートル横二〇メートルのものも。美大生活で一切絵を描かなったが、むしろ商業美術で刺激的に絵を学んだような感じだという。

## ヴァニタスのような虚しさ

その商業美術などで得た技術を生かして、戸泉は、現在、パネルに綿布を貼り下地処理した支持体に、アクリル絵の具で描く。基本的には筆で、必要に応じてエアブラシも使う。アクリル絵具特有の物質感の軽さが、自分の描く世界観に適しているという。

冒頭に書いたように、戸泉の作品は、一種の静物画とも見える。彼は静物画について、どう考えているのか。その問いに対して、戸泉は、ヴァニタスを挙げた。ヴァニタスは、一七世紀のオランダ絵画の静物画である。金銀財宝とともにドクロや火の消えた蝋燭などのような、「死」や「終わり」を意味する物が描かれている。いわゆる「メメントモリ」にもつながる思想で、「富も権力も死んでしまえば何の意味もない」といった人生の虚しさを謳った絵だといわれている。

戸泉は、二〇歳を過ぎたころから、インターネットが急激に発達し、コミュニケーションの取り方も激変して、便利になる一方で、ネット世界の流れとともに、昨日までは黒だといわれていたものが急に白になったりして、そんな世界に自分もいることに虚しさのような物を感じており、「ヴァニタス」のイメージで今の世界を描いているという。

## ピンクの兵士はリアリティなき存在

戸泉のモチーフは玩具が多いが、特徴的なのはピンクの兵士のフィギュアである。それは阿佐ヶ谷のＴＡＶギャラリーの「現在戦争画展」（二〇一六年）にも展示された。筆者はそれで戸泉の作品を知ったのだった。なお、本誌file.23で取り上げた谷原菜摘子もこの展覧会に展示していた。戸泉が兵士をモチーフとするのは、どうしてだろうか。

戸泉は、電車の中で暇つぶしに携帯でゲームをしている人をよく見かけるようになり、「どんなゲームをしているんだろう」とチラ見すると、多くの人が戦争ゲーム（バトルロワイアルゲーム）をしており、その需要がすごく高いことが衝撃だった。そこで、ミリタリーから連想される色が、戸泉の中ではグリーン系カーキー、オリーブグリーンだったので、その真逆にある色はと考えて、ピンクが出てきた。そこで、ピンクで兵士を描くことにより、リアリティなき存在のアイコンとして扱うようになったという。

戸泉の祖父母は戦争体験者で、小学生のころにその話を聞いたことがある。大変な時代ではあったけど、そのおかげで、体力には自信があるといっていたのが印象的だったという。そしていまは、急に発生したコロナという目に見えないウイルスとの戦いが、「自分たちに起きた戦争なのか」と、ふと思うという。コロナゆえに、マスクなど、人目を気にして行動しなくてはいけなかったり、便利なはずのネットにいろんな情報が出過ぎて混乱したりするという、現在の状況だ。

また、筆者は、戸泉の湯たんぽにコンビニ弁当を描いた作品が気になった。それは、二〇〇五年に、いまはない青山の gallery ART SPACE での初めての個展に出した作品だった。戸泉によれば、湯たんぽには母の温もりという

★《japanese style》2007年、柱にペイント／横浜・ZAIMでの展示風景

★《母船》2005年、湯たんぽ・ラッカー塗料

意味があり、そこにレンジでチンするだけのコンビニ弁当を描くことで、自分を含め現代人の食生活に対するアイロニーを込めたという。

静物画もそうなのだが、戸泉の作品は写実を極めている。そういうリアルな作品だと、見る側がそこにとどまって、「見事に描いた」ことだけを称賛しがちだ。だが描く本人にとって、さまざまな問いかけ、コンセプトがそこに込められている。「ヴァニタス」がそのいい例だろう。それが伝わることもあれば、そうでないこともある。美術や芸術表現はそれでいい。例えば抽象画から社会性を見出すこともできるのだ。ただ、私たち、見る側が「どうしてこれを描いたのか」といった問いかけを抱くことは、重要だろう。そこから批評、そして社会との関係が始まる、と筆者は思うのだ。

## リアルでキッチュ、ポップな感覚

戸泉は、美術家としては、ウィレム・クラースゾーン・ヘダ、イヴ・タンギー、小松崎茂をあげた。ヘダは十七世紀オランダの静物画家。実に緻密に描く作家で、「ヴァニタス」が響いてくる。タンギーは幻想的で、人のいない無生物の海中のような「静寂」とアクリル的にも思える質感が特徴だろう。小松崎はSF的なイラスト、プラモデルの箱絵などで知られる。いまから見ると、レトロポップと思える画家。戸泉とはリアリティとともにキッチュ、ポップな感覚が共通すると思える。ひょっとすると、プラモデルの箱絵のリアルさも、つながっているのかもしれない。

それ以外という問いに対して、意外なことに「PEACEFUL CUISINE」というYouTubeチャンネルをあげた。これはビーガン料理がベースのチャンネルで映像が美しいという。見てみると、日本人男性が英語を交えて、俯瞰カメラなどを駆使して、欧米のキッチンのような雰囲気で料理をつくる過程を紹介する。そのプロセスを丁寧かつ声による説明なく、少ないテロップで淡々と映し出し、海外の料理番組のようでとても美しい。そしてコロナゆえに、こういったYouTubeなどの映像の視聴はさらに増えただろう。

戸泉は、今後は、一二月に本来六月に予定していたグループ展、さらに二〇二一年三月には東京・銀座のREIJINSHA GALLERYで個展を予定しているという。その精緻、精密かつどこかポップ感覚の感じられる作品を、ぜひ生で見てほしい。そして、その不思議な世界に対して抱いた疑問を、考えてみていただきたい。

（志賀信夫）

★《ミノタウロス》1975年、40F変形、ケント紙に鉛筆

# TATEISHI Shuji

## 建石　修志

◉文＝志賀 信夫

元々色彩よりも形象に惹かれ、
鉛筆画には精神のようなものが浮かびあがると感じる

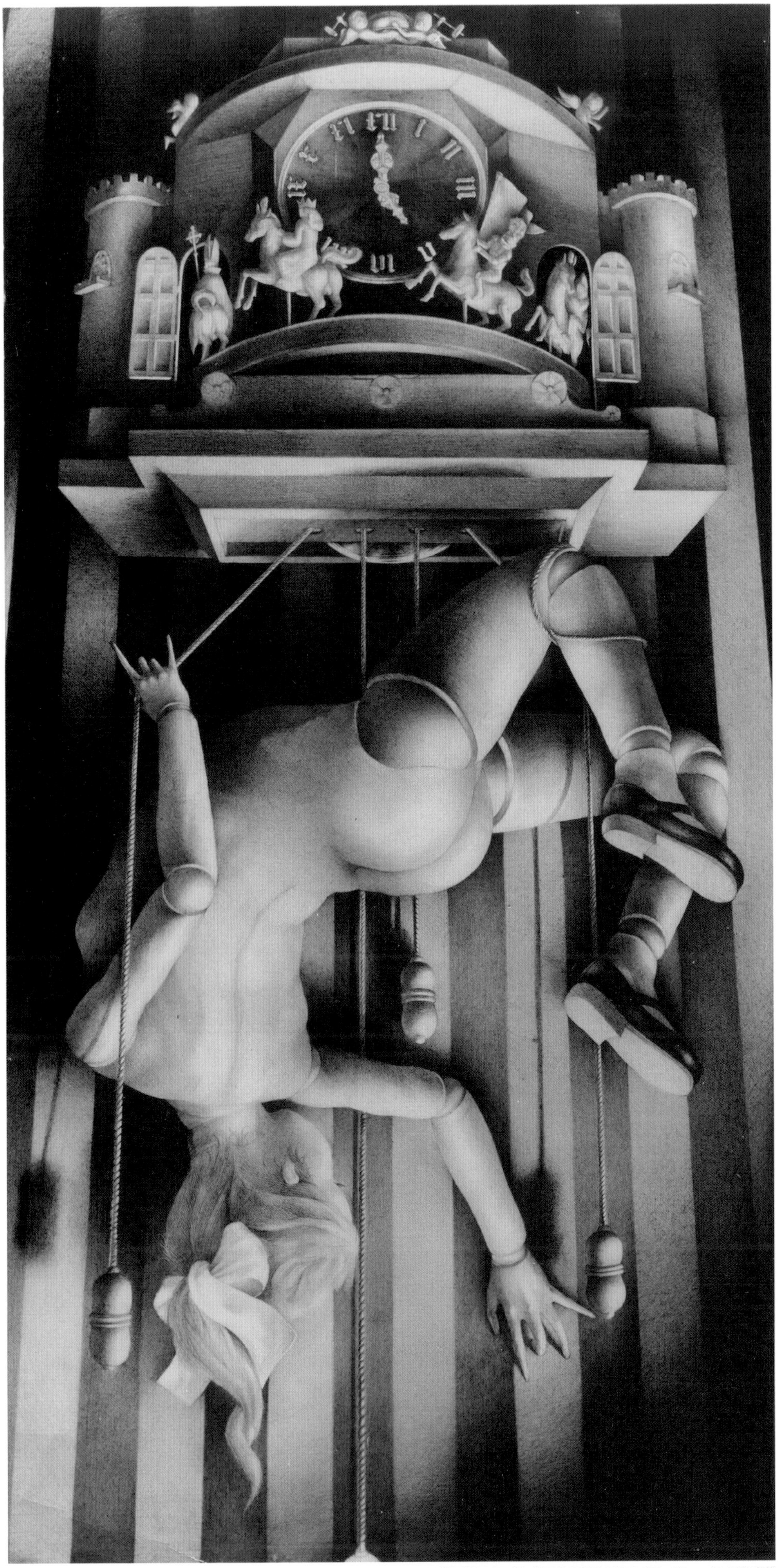

★《落下するアリス、もしくは五時の行進》1973年、730×370mm、ケント紙に鉛筆

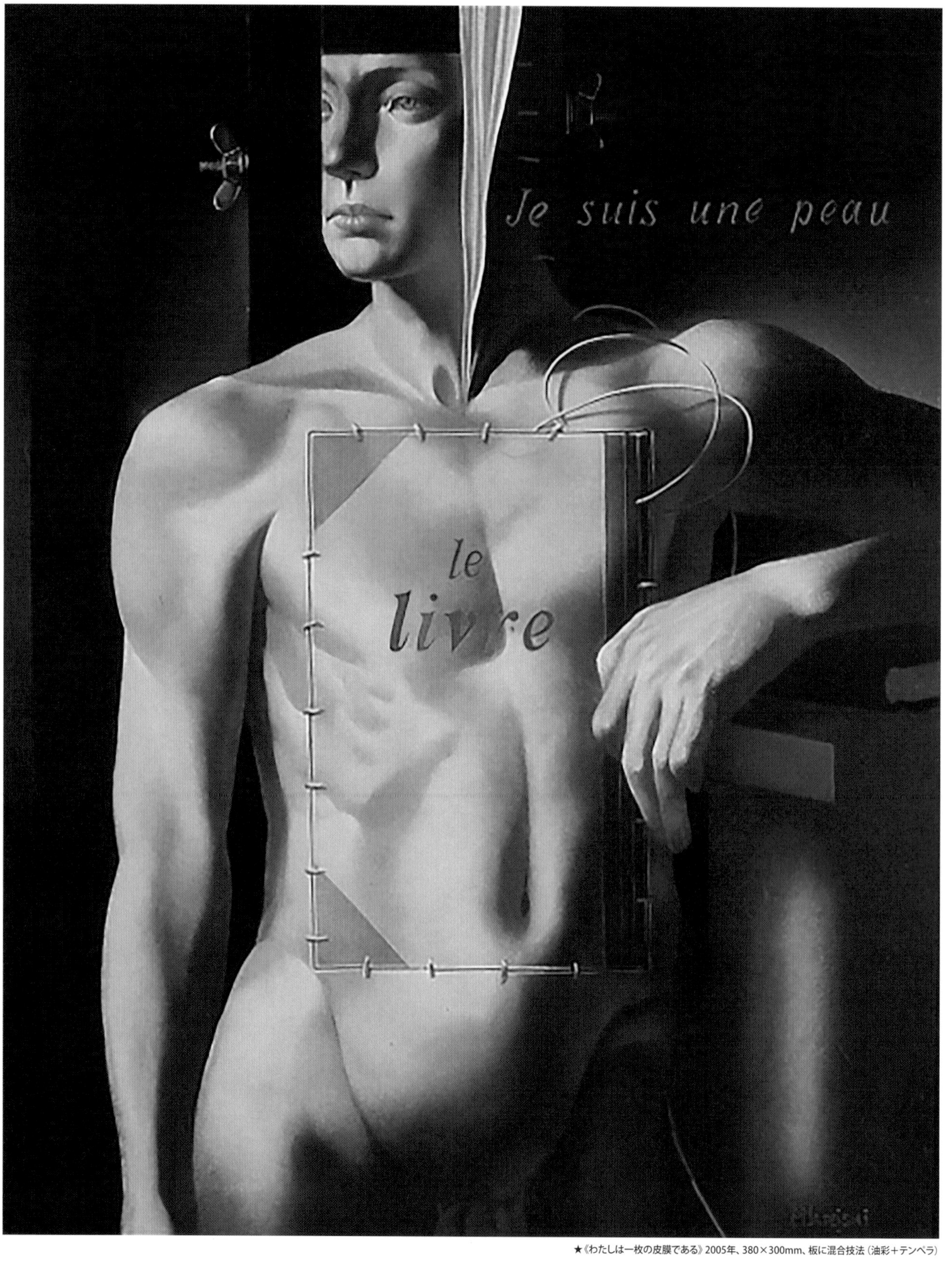


★《わたしは一枚の皮膜である》2005年、380×300mm、板に混合技法（油彩＋テンペラ）

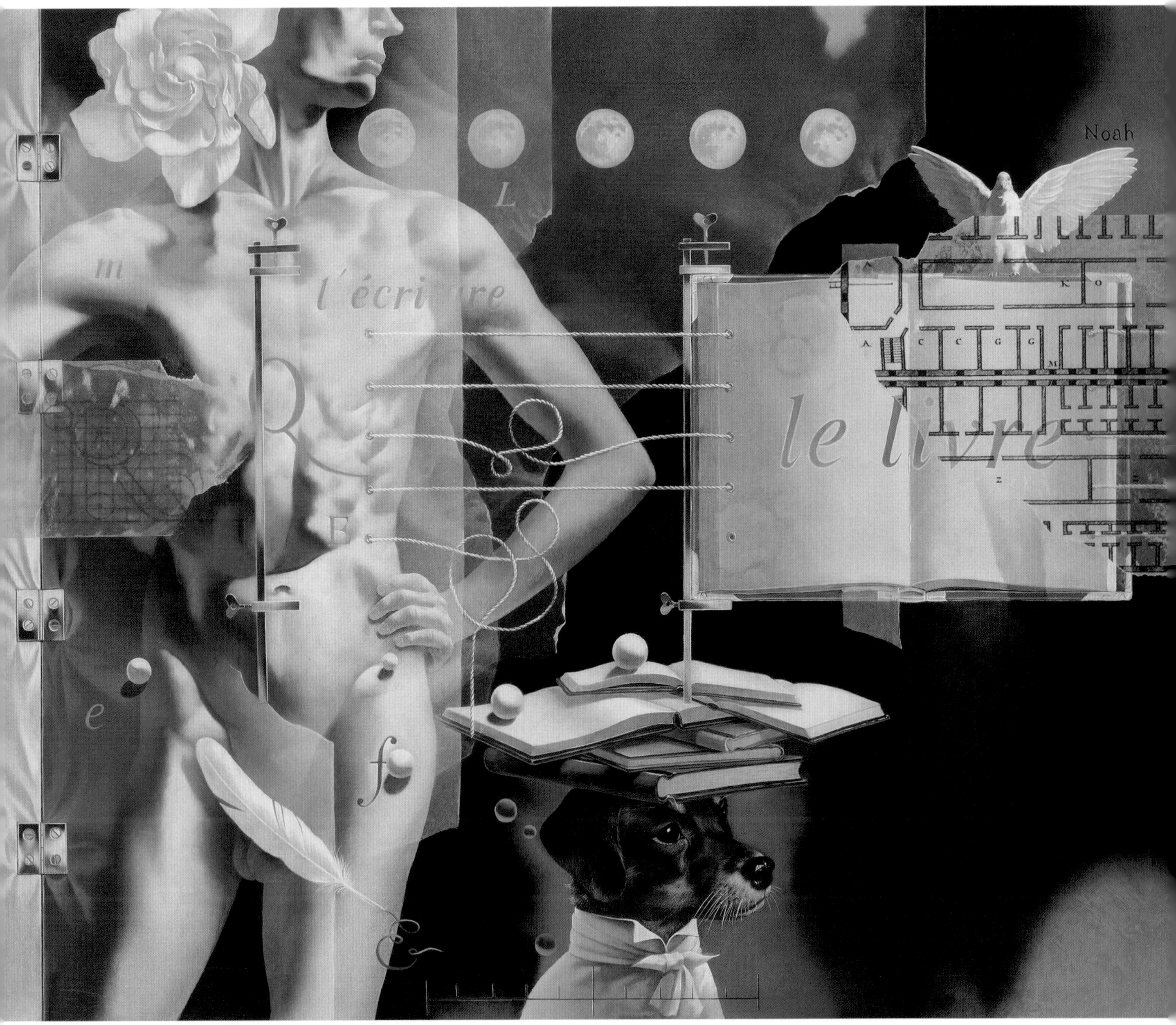

★《私は一冊の書物である》2007年、600×750mm、板に混合技法（油彩＋テンペラ）

★（上）《月のある回廊》2007年、900×900mm、板に混合技法（油彩＋テンペラ）
（中央右）《揺れる小舟の手紙》2005年、600×310mm、板に混合技法（油彩＋テンペラ）
（中央左）《午後に浮かぶ》2003年、450×450mm、板に混合技法（油彩＋テンペラ）
（下）《ケンタウロスの手紙》2008年、450×450mm、板に混合技法（油彩＋アルキド樹脂絵具）

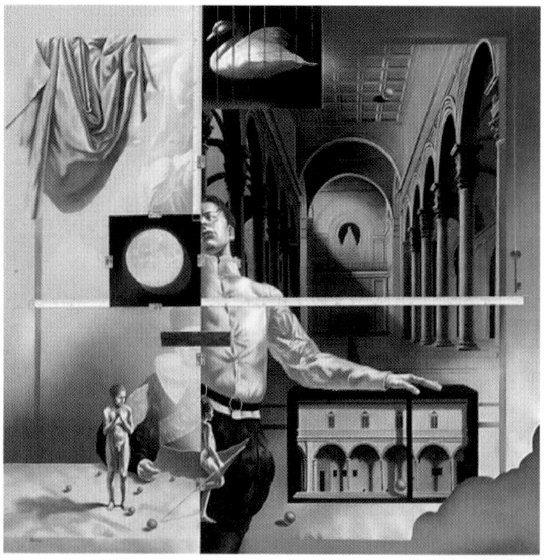

★《塔へ! 狭間へ!》2011年、450×450mm、板に混合技法（油彩＋アルキド樹脂絵具）

# さまざまな技法・材料を使い分けながら探求される、硬質な幻想世界

## ダリを見て美大への進学を決める

　建石修志といえば、筆者の世代は中井英夫（一九二二～九三年）。怪作ともいわれたミステリー、探偵小説の傑作『虚無への供物』（一九六四年）をはじめ、『悪夢の骨牌』（一九七三年）『人形たちの夜』（一九七六年）などの幻想譚で有名な作家だ。建石は、その装幀画、装画を担当しており、筆者がそれによって名前を知ったのは、三〇年以上前のことだ。鉛筆で精緻に描かれた作品は、中井英夫の一種独特の幻想世界にぴったりだった。建石はその後、銀座の青木画廊を中心に、鉛筆だけでなくさまざまな作品を発表しているが、その精緻な世界は通底している。今回、その建石修志の世界とその秘密に少しでも迫れればと思う。

　建石には、子どものころのこんな記憶がある。自宅のすぐ近くに、パリのピカソなどが集まった「洗濯船」と見紛うような古い木造の家があり、若い絵描きたちがアトリエとして部屋を借りて住んでいた。そして、時々部屋に入れてくれて、ヌードデッサンや描きかけの油絵を見せてくれたそうだ。

　建石自身、幼少の頃から絵を描くことは大好きだった。友だちと鉱物図鑑や昆虫図鑑などを見ながら真似して描いていた。だから「図画工作」の成績だけはよかった。そして、高校二年生も後半になり、友人や先生たちがにわかに騒がしくなり、そろそろ志望大学を絞り始めていた。建石の父親は物書きで編集者でもあり、姉が早稲田大学に通っていて、何となく漠然と早稲田の文学部あたりを考えていたが、いい加減なままにしておいた。

　すると、兄の机の上に、サルヴァドール・ダリの画集があった。その画集を見ながら、元々絵を描くのは好きだったし、ある二年先輩やサッカー部の一年先輩も美大受験と知っていたので、これは美大しかないなと、覚悟を決めたのだった。

　そして東京藝術大学の工芸科に入学した。当時、

★《契約書─ヘルメス、眠るエロスと契約を交わす》2013年、728×1030mm、ボードに混合技法（油彩＋アルキド樹脂絵具）

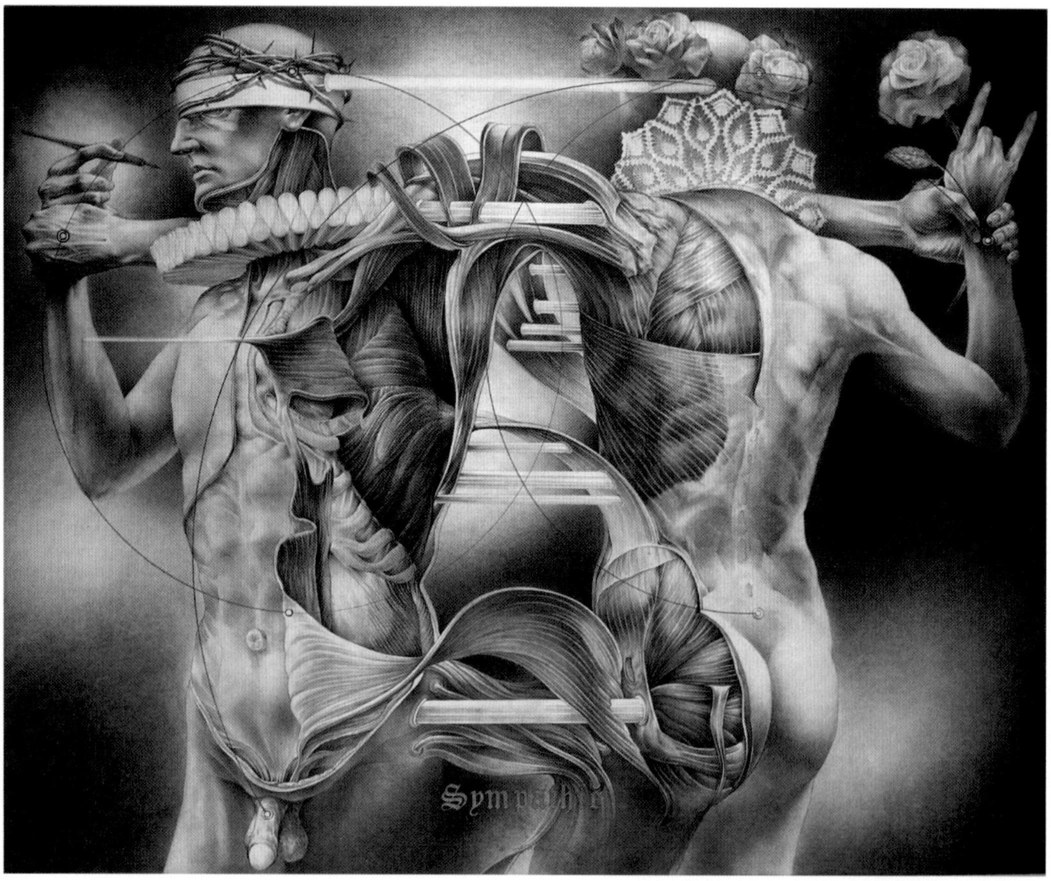

★《ミューズが詩人に霊感を与える》1982年、803×1000mm、ケント紙に鉛筆

★《achse—軸の彷徨》1985年、1000×803mm、ケント紙に鉛筆

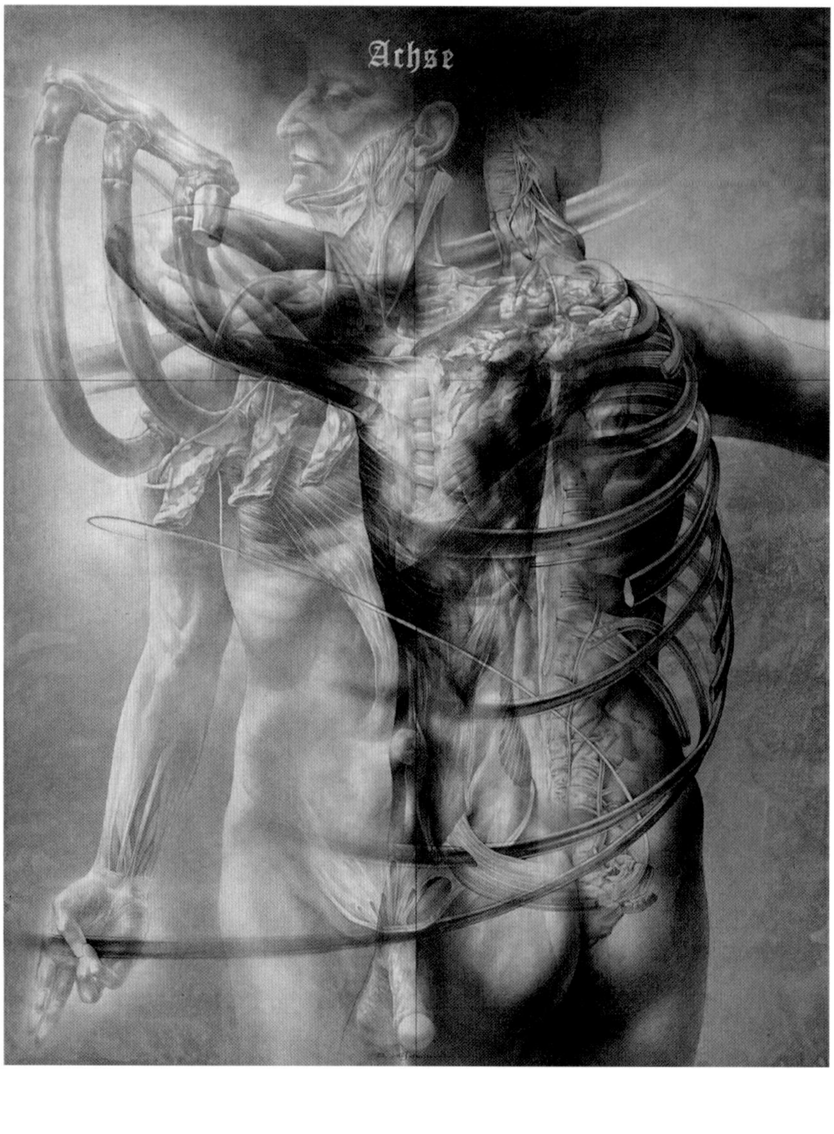

★《園丁の午後》1992年、600×600mm、板に混合技法（油彩＋テンペラ）

花形だった宇野亜喜良、横尾忠則といったイラストレーターに憧れていて、そのころイラストレーションはグラフィックデザインの一分野としてとらえられていたからだ。また、油絵、日本画にはまったく興味がなかったから、デザインを含めた工芸科に入った。

しかし時代は大学闘争の真っ只中で、先生から何かを教えられたということはなかった。もっぱら街が先生で、本、映画、演劇、舞踏、音楽などのすべてが教師だった。当時の友人とは大学卒業後も付き合い続けており、いまだに学ぶことがあるという。

## 鉛筆画と、中井英夫の挿画・装丁

建石は前述のとおり、鉛筆画の印象が強い。鉛筆画を選んだのは、どうしてだろうか。

彼は元々色彩よりもイメージ、形象に惹かれていた。また自分の技術からすると、描きたいと思っているイメージを早く表すには鉛筆しかなかった。このころから迷いながらも色を使っていれば、作品の魅力も違った形で出すことができただろうと、いまも思っているという。

建石は、鉛筆画に関しては、その硬質な筆致から「精神」のようなものが浮かびあがるように感じていたという。そして、「眼」と「手」と「鉛筆」を一体化することを目指していた。その鉛筆画の技術は、だれかに師事したこともなく、もっぱら自分が想い描いたイメージを繰り返し描き続けるだけ、それによって培われたのだという。なお、建石は技法書『鉛筆で描く—紙と鉛筆がつくるファンタジックな世界（新技法シリーズ59）』（美術出版社）も刊行している

建石は、学生時代に、高校の現代国語の教師が始めた出版社の詩誌『青素』の表紙のデザイン・装画を担当していた。それを見た出版社の編集者とつながりができた。大学卒業時に就職する気はまったくなく、その編集者に何か仕事はないかと電話して、中井英夫を紹介された。そのころ、三一書房から『中井英夫作品集』が刊行されていて、その栞の中に澁澤龍彦の「狷介にして心優しき人物」という一文があった。そのため、初めて会うことになった喫茶店では、緊張したままだったという。

建石は、その後、数多くの中井の作品の挿画、装丁の仕事をしている。「あれだけ続いたということは、少しは気に入っていただけたのかと思う」と振り返る。新宿のバーへ集まり、飲んで騒いで、が続いたというから、うらやましい経験だ。

おそらく、筆者同様、多くの読者が澁澤龍彦によって、中井英夫を知ったのではないだろうか。澁澤のエッセイなどでの紹介、帯文などで引き込まれた。またなかには、さらに建石の絵による装丁に惹かれて、その本を手に取った人も多いに違いない。

建石が澁澤と直接会ったのは数回。その一度は中井英夫の羽根木邸の「薔薇のパーティ」で、伝説の軍歌放唱を目の当たりにした。夜が深まってからも続き、見かねた龍子夫人が注意するや、飲んでいたウイスキーの水割りを顔面に浴びせたのにはびっくりしたという。

澁澤の軍歌好きは有名である。昭和三年、一九二八年生まれの澁澤は、第二次大戦当時の年齢では、戦争には召集されない軍国少年だった。澁澤は、戦後はフランス文学、サドやシュルレアリスムに耽溺し、反権力的存在として知られるが、子どものころ覚えた軍歌が得意で、非常に記憶力がよく歌詞を全部覚えていて、競うほどだった。そこには戦争に行けなかった思い、価値観がひっくり返った思春期への思いなどがあるのだろう。同じ年に生まれた画家の池田龍雄は、少年兵として特攻隊で終戦を迎えた。澁澤とも交流があったが、同じ辰年生まれだから、いずれも龍の一文字が名前にある。

また、筆者にとっては、中井英夫の薔薇パーティも有名だった。中井の父は著名な二代続く植物学者で、庭に植物園、薔薇園があり、中井は薔薇の本も平凡社新書で出している。薔薇は『薔薇族』という雑誌名が示すとおり、同性愛の象徴であり、同性愛者であった中井は愛していた。筆者の知人がそのパーティに参加したと話していたことを思い出す。

中井は『短歌研究』『短歌』誌の編集者として、寺山修司、春日井建、中条ふみ子を世に出したことでも知られるが、同性愛誌『アドニス（adonis）』にも関わっており、『虚無への供物』の連載はそこで碧川

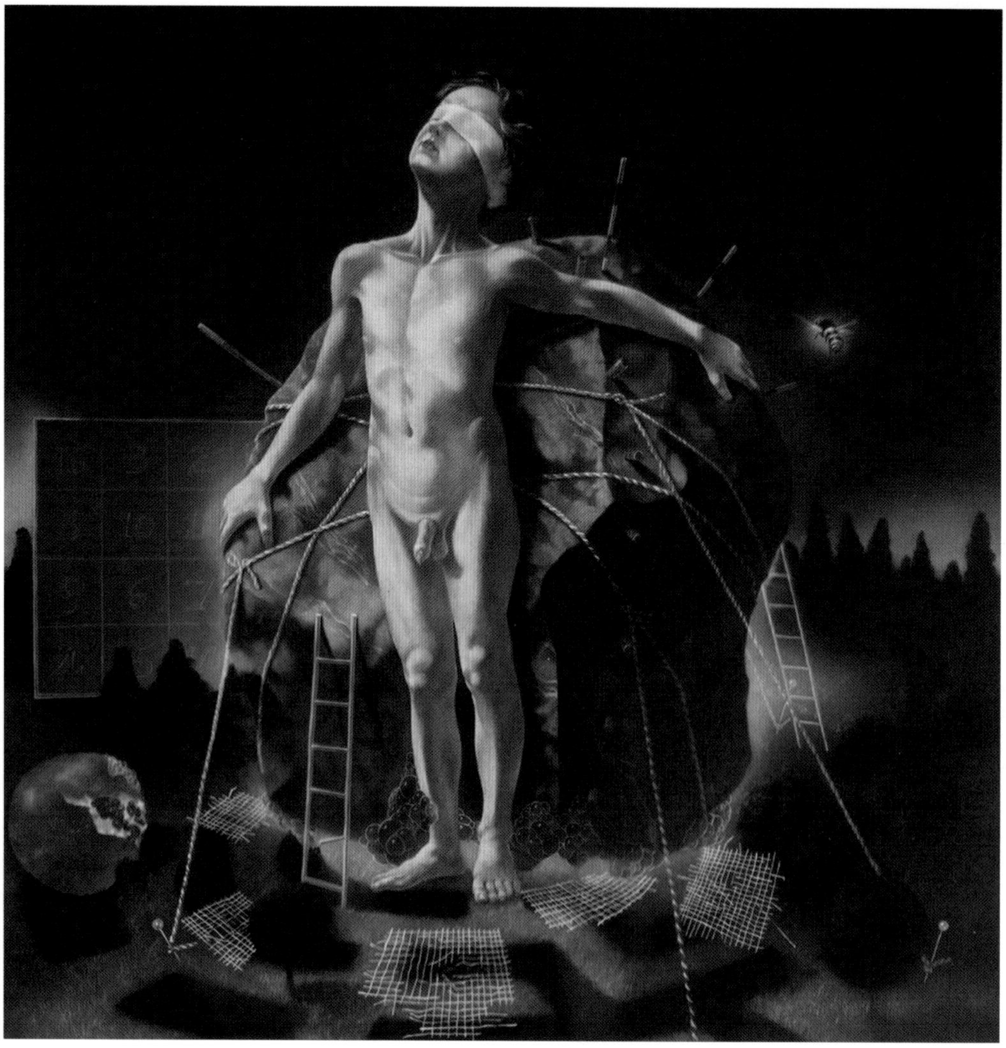

★《蜂のいるメランコリア》1987年、700×700mm、板に混合技法（油彩＋テンペラ）

潭名義で書いたことが始まりだった。この雑誌は会員制で千人以上の読者がいたが、別冊の『アポロ（apollo）』は、三島由紀夫が『愛の処刑』（一九六〇年）を榊山保名義で発表したことでも知られている。

なお、中井の『虚無への供物』は、夢野久作『ドグラ・マグラ』（一九三五年）、小栗虫太郎『黒死館殺人事件』（一九三四年）とともに日本の推理小説の三大奇書の一つとされる。建石修志は、当初刊行された塔晶夫名で再刊された『虚無への供物』（東京創元社）の装丁・挿画を担当している。また本誌file.21で取り上げた大島哲以は、その講談社文庫版のカバーの絵を描いている。

## 油彩とテンペラの混合技法の探求

建石は、中井英夫との仕事が始まって、それまで目にしていた「挿絵」とは一味違ったものをと考えていたが、その小説の構造を読み解くことをまず考えた。情景描写でもなく、登場人物でもなく、その小説の世界の構造を考えたのだが、なかなか思うようにはいかず、毎回四苦八苦したという。そして参考になったのは映画であったり、シュルレアリスムの画家たちの作品だったりと、眼にしたすべてのイメージがヒントになったそうだ。

現在も建石は、時々書物の装画を担当しているが、まず原稿を読み、気にかかる箇所に棒線を引き、付箋を貼ることを繰り返し、そこからイメージを導き出すのだという。そして、以前のように「構造は」と考えるよりも、導き出したイメージが、自然に書物の刺青のように浮かび上がり、できるだけ効果的に言葉と捩り合わされればと考えている。

そんな建石は、油彩やテンペラの混合技法も駆使している。それは、どのようなものなのだろうか。

建石は、鉛筆作品についてはまったく独学で、用紙の中ではケント紙が一番しっくりするという。そして、当時は鉛筆だけで仕事をしていたので、いろいろなことを試しながら、作品を作っていた。

油彩とテンペラの混合技法は、知り合いの画家マリレ・イヌボーの教室に一年通って学んだ。ウィーン幻想派の方法に近いということだったが、多くの画家がそうであるように、いろいろ試しては一番ピッタリする方法を探していた。絵画にこうでなければならない方法があるはずもなく、それぞれいろいろと工夫している。作品と書物の装画では、時間の制約があることなどから、そのつど材料・方法を変えているという。

日本にはかつて、ヴィーナマールシューレという学校があった。ウィーン派絵画学校という意味で、テンペラと樹脂油絵具を併用する「混合技法」を教えた。ウィーン幻想派に学んだマリレ・イヌボー（オノデラ）らが講師で、一九八四年に表参道に開かれ、後に川口起美雄も参加したという。残念ながら一九八九年に閉校している。

## シュルレアリスムと澁澤龍彦

影響を受けた画家、美術家などについては、多すぎて挙げきれない、すべての眼に入るものから影響を受けていると答えた。ただ、絵を描きたいと思う動機となったシュルレアリスムの画家たちの存在が大きいという。だが、古代ギリシア彫刻もルネサンス絵画も現代美術もと、影響や関心は多大なようだ。そして、澁澤龍彦の『夢の宇宙誌』を、自身の惹かれるものの系統を明らかにすることの契機となった本として挙げた。澁澤の著作をガイド役に美術、文学、映画、演劇とジャンルに関係なく貪るように探ったという。

筆者自身も舞踏との出会い、そして大学でフランス文学を志したときの道しるべとしても、澁澤の存在は本当に大きかった。ハンス・ベルメールの人形を含めて、本誌や姉妹誌「トーキングヘッズ叢書（TH Series）」の内容の多くは、澁澤が紹介し、切り開いた世界といってもいいと、筆者は思っている。

建石は現在、個展、企画展など多数声がかかり、出品するための作品制作がメインとなっているそうだ。混合技法作品、シルバーポイント、鉛筆など画材はさまざまだが、しばらく作っていなかった匣モノ（絵やオブジェを箱の中に入れたアッサンブラージュ作品）もまた作ってみたいと結んだ。さらなる展開が期待できる。次の展覧会を楽しみにしよう。

（志賀信夫）

◉文＝沙月樹京

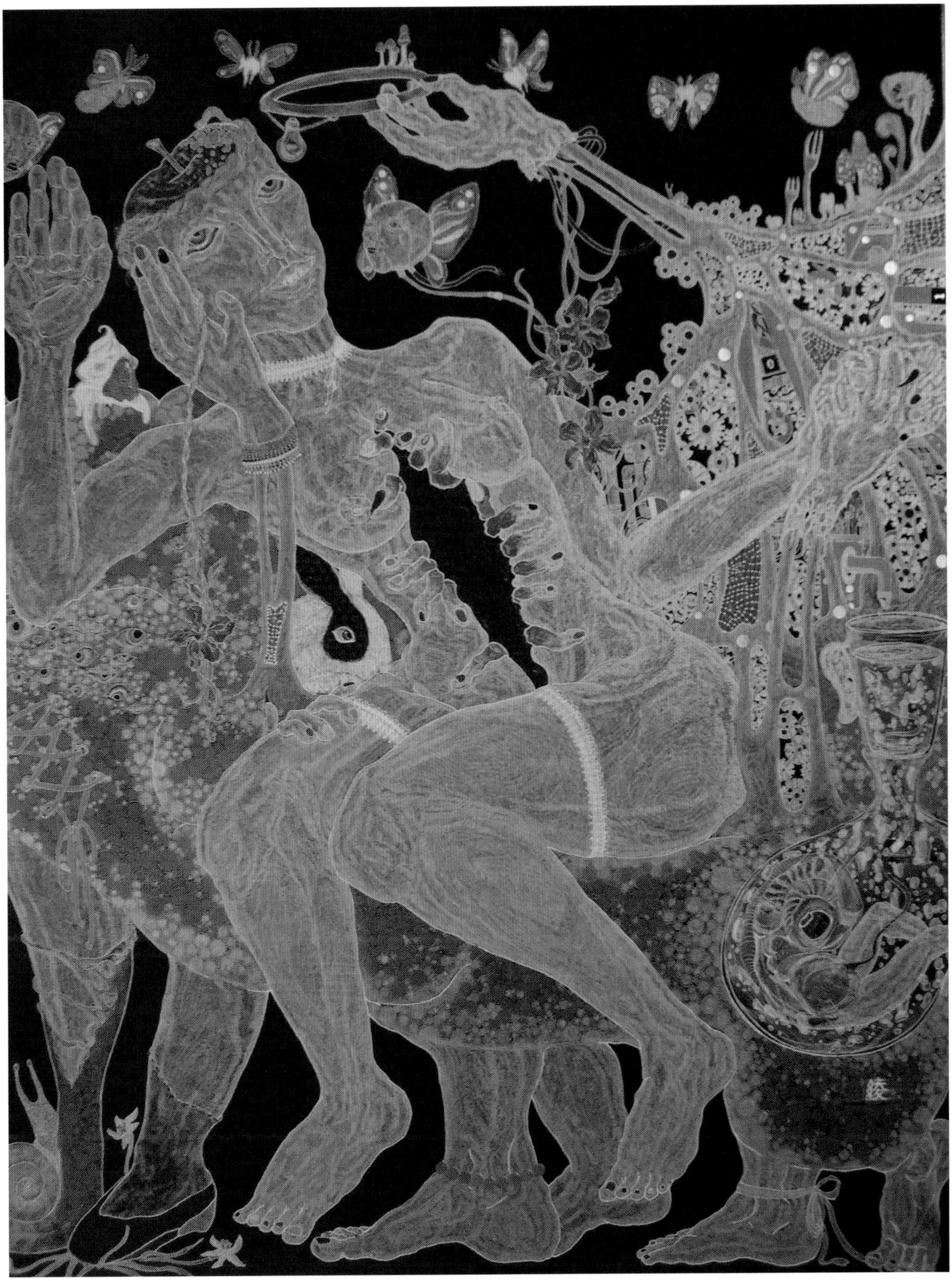

# YAMANAKA Ayako

## 山中　綾子

★《安心浴1》2017年、910×727mm、木製パネルに紙・ペン・アクリル・シール・鉛筆・メディウム

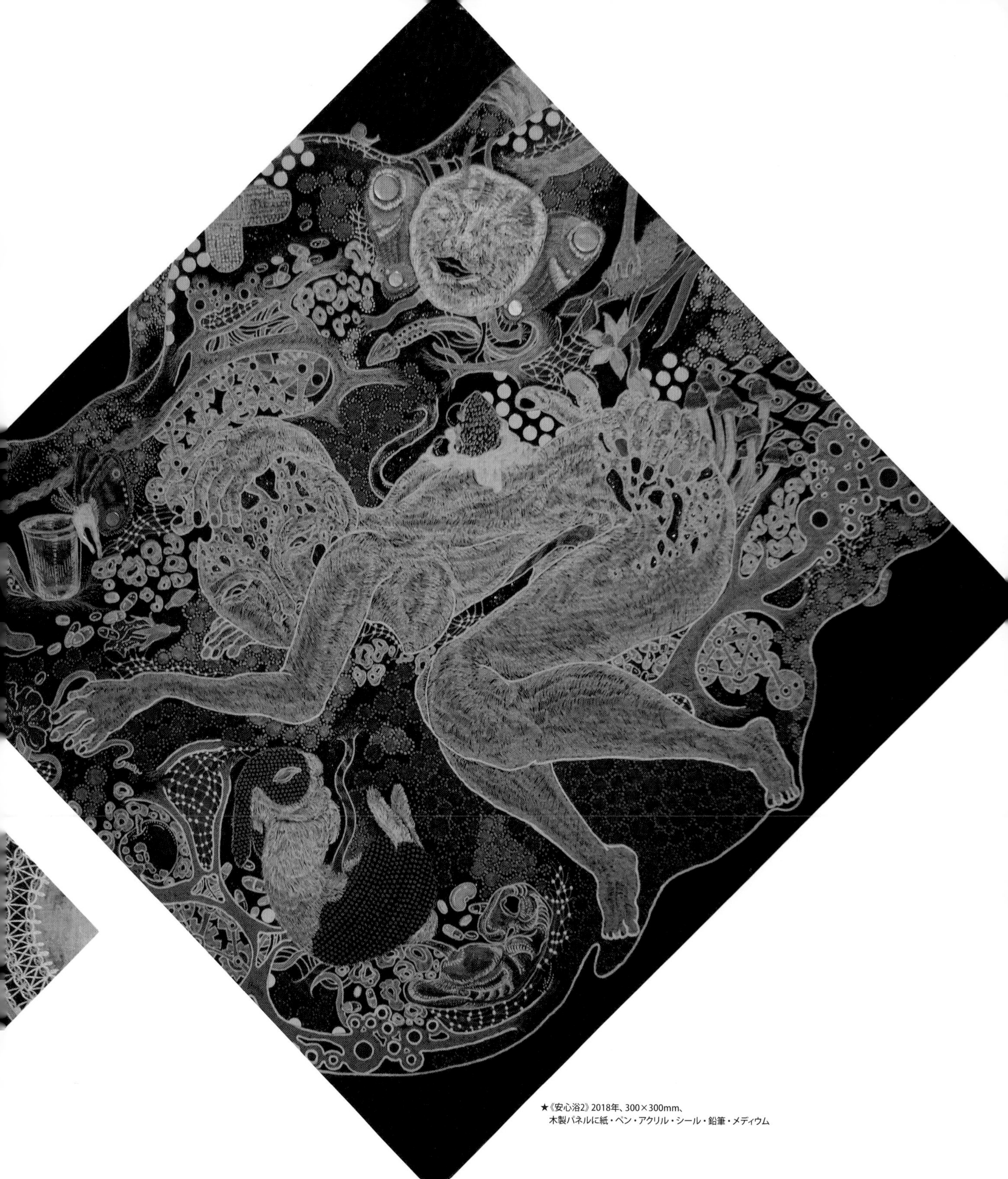

★《安心浴2》2018年、300×300mm、
木製パネルに紙・ペン・アクリル・シール・鉛筆・メディウム

ひとつになり、
依存し合うことの
幸せと苦しみ

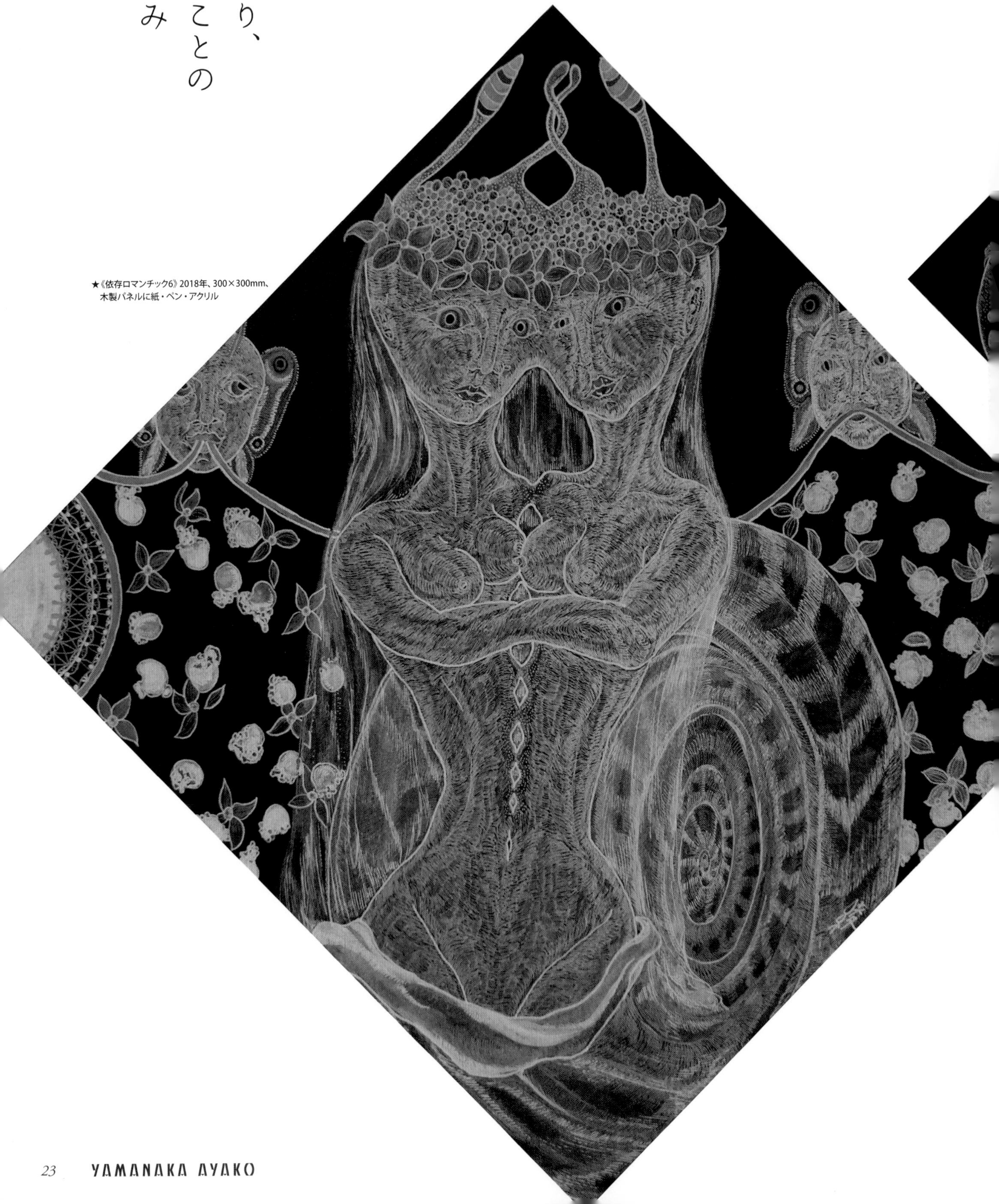

★《依存ロマンチック6》2018年、300×300mm、
木製パネルに紙・ペン・アクリル

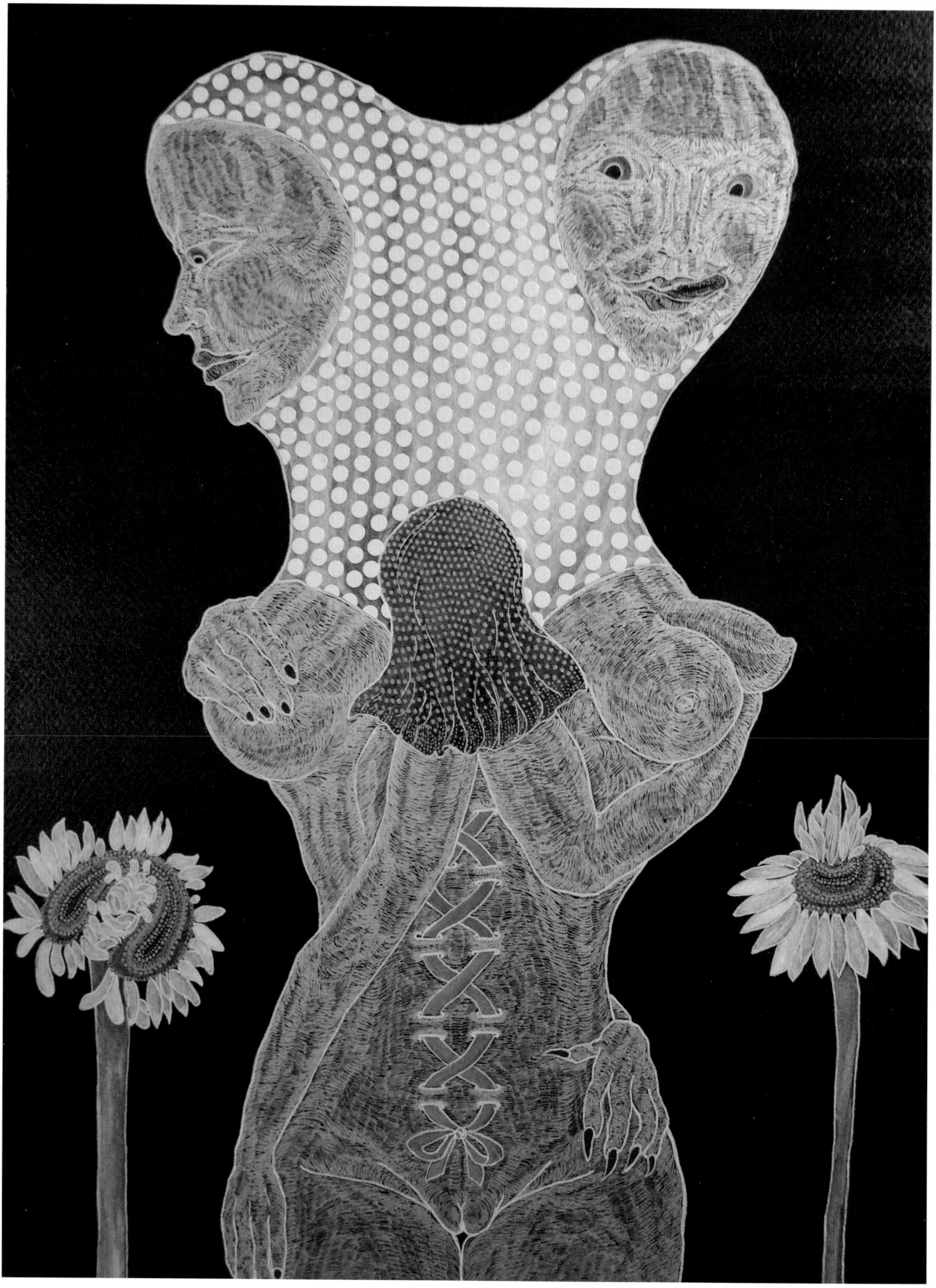

★《依存ロマンチック5》2018年、420×297mm、木製パネルに紙・ペン・アクリル・シール

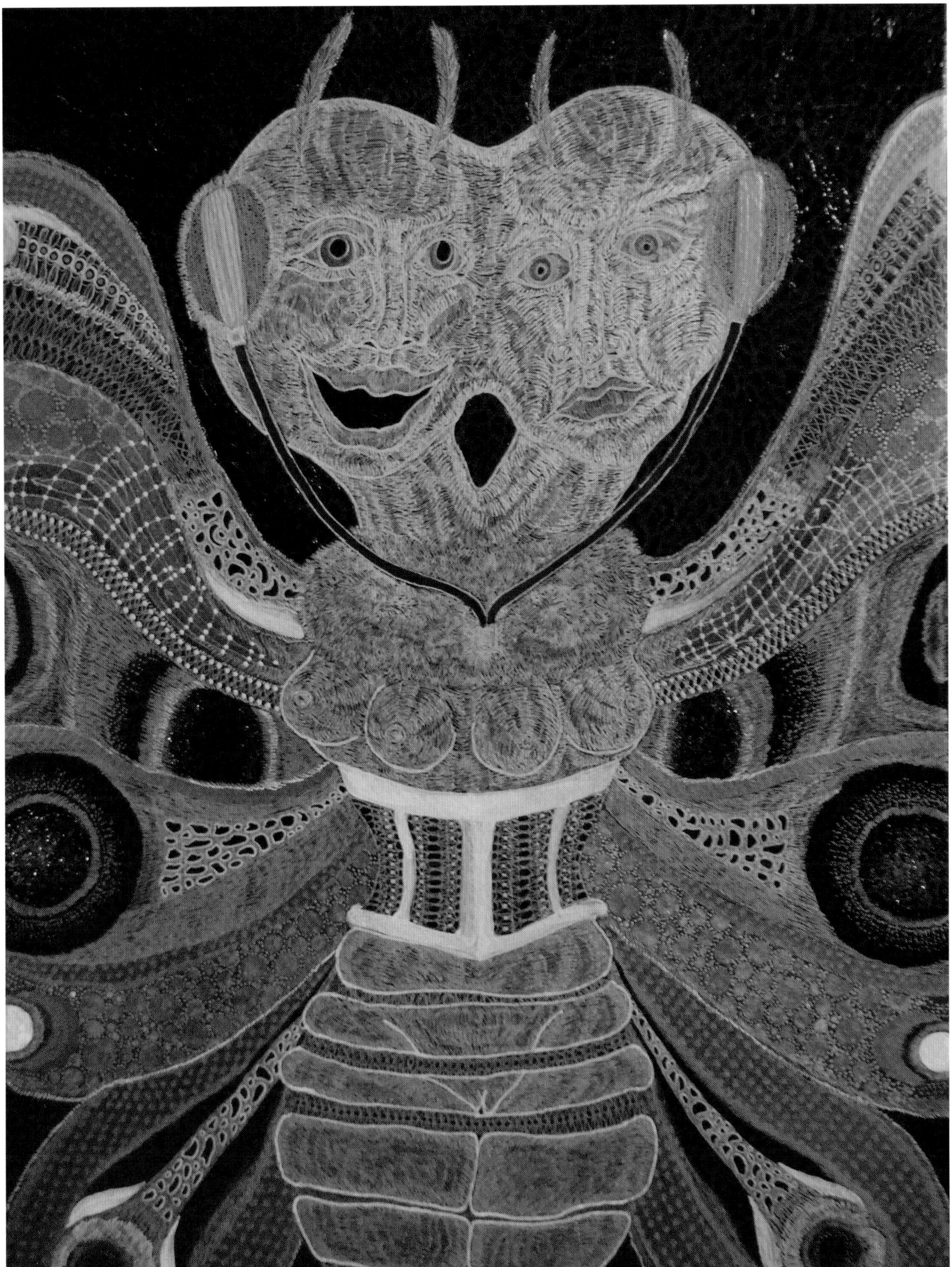

★《依存ロマンチック7》2018年、333×242mm、木製パネルに紙・ペン・アクリル・鉛筆・メディウム

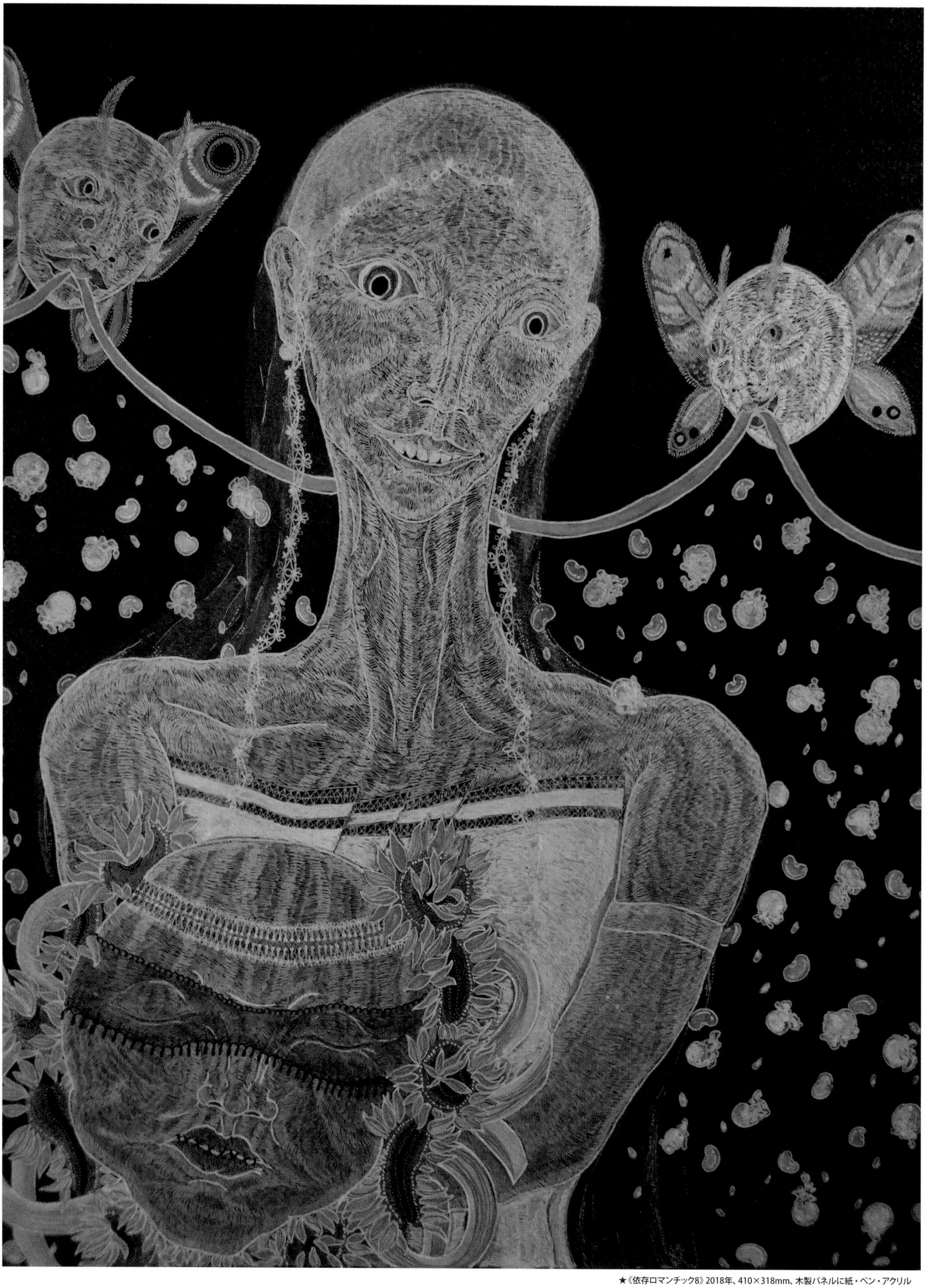

★《依存ロマンチック8》2018年、410×318mm、木製パネルに紙・ペン・アクリル

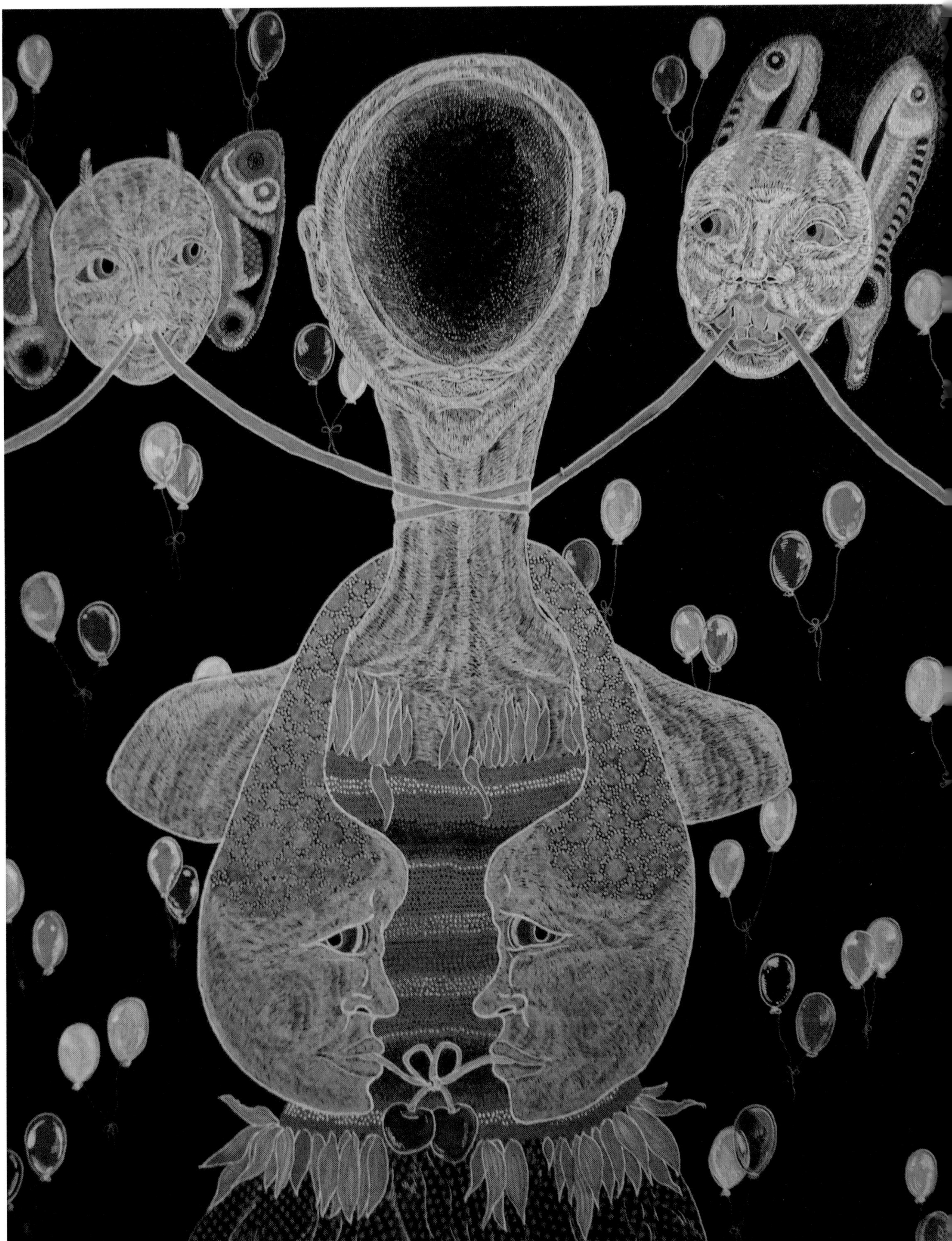

★《依存ロマンチック9》2019年、410×318mm、木製パネルに紙・ペン・アクリル

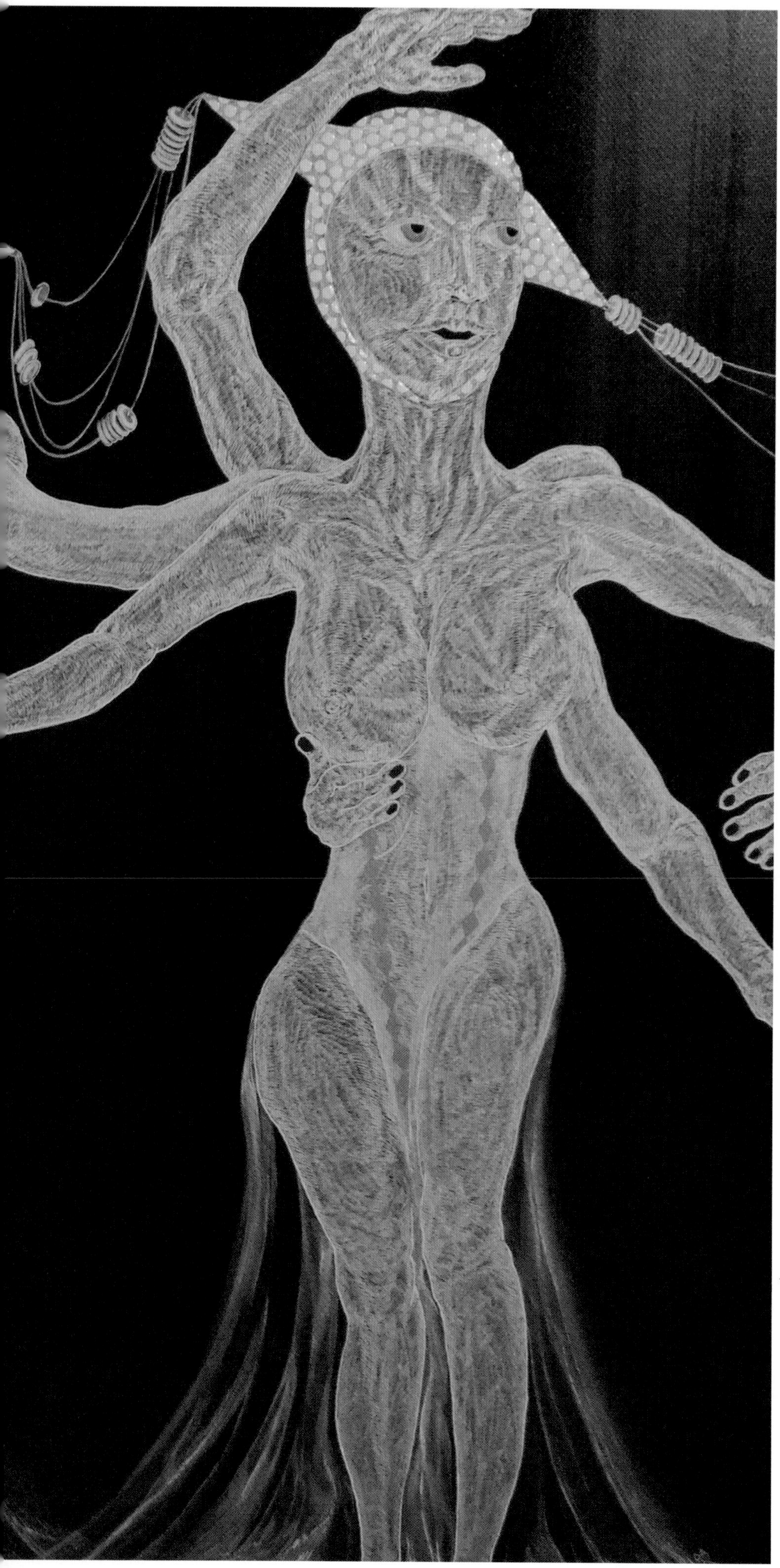

★《塔2》2018年、910×650mm、
木製パネルに紙・ペン・アクリル・シール・メディウム

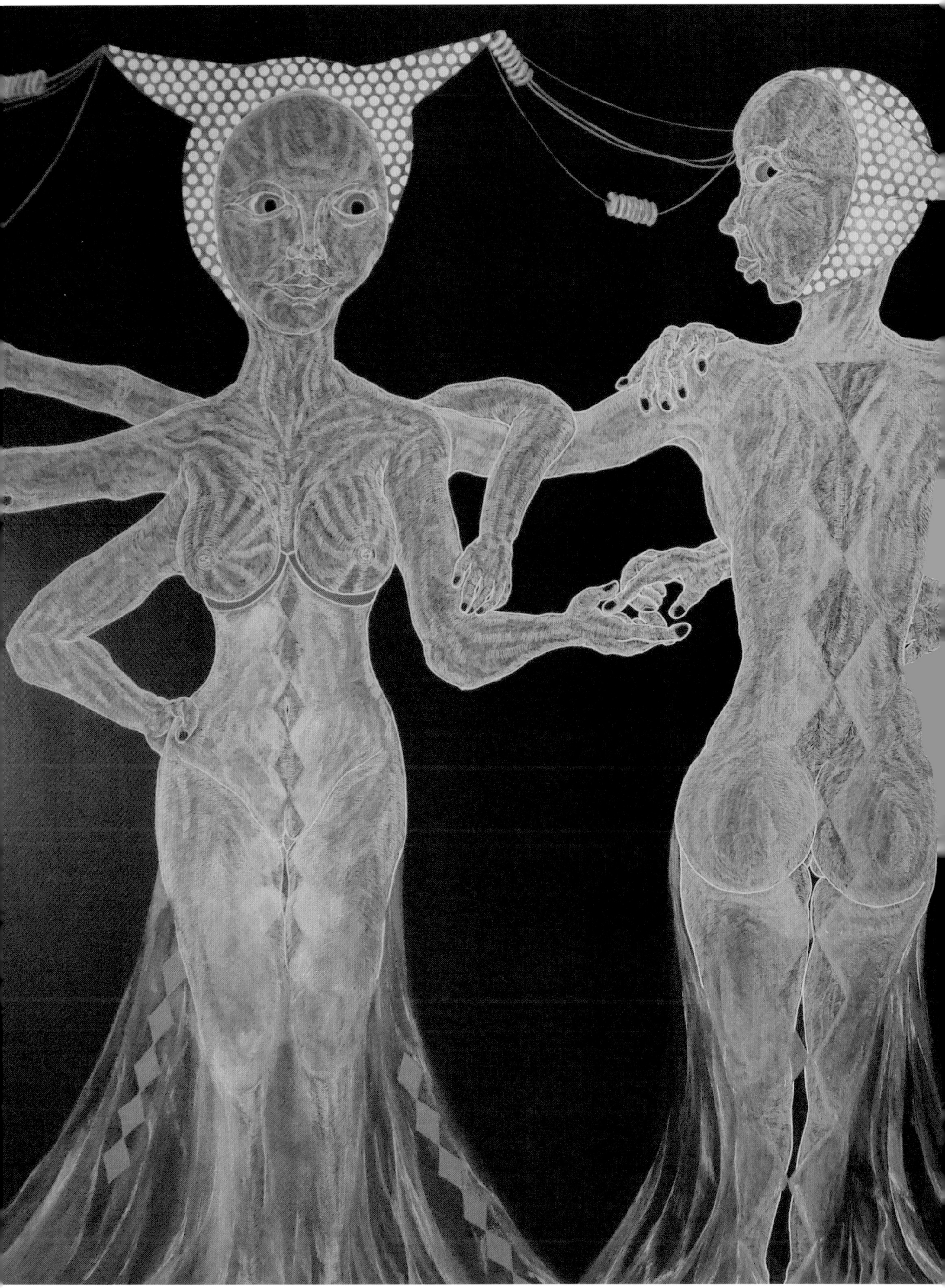

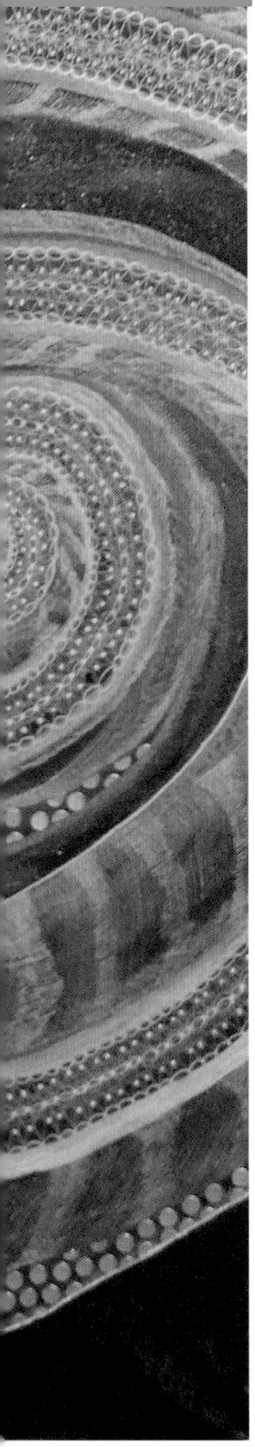

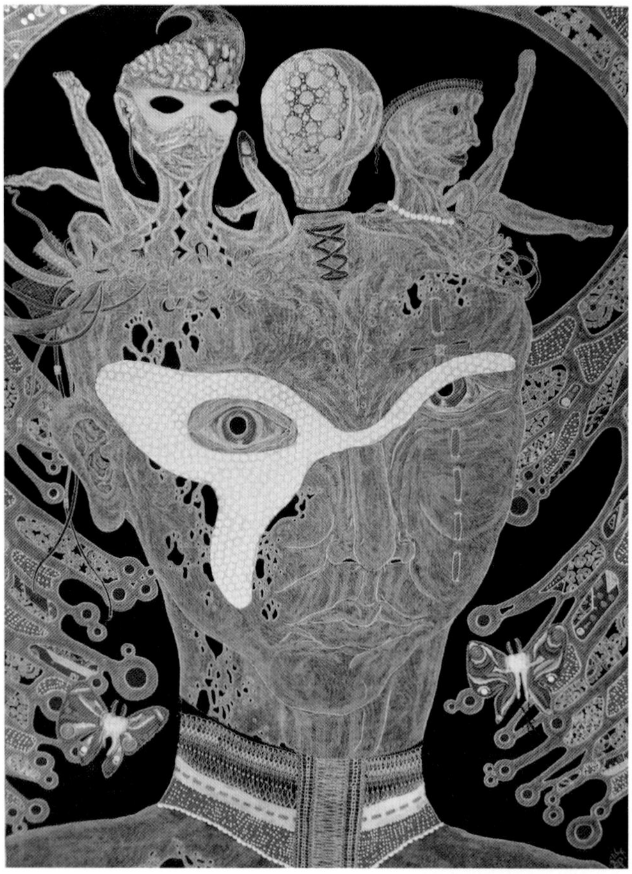

★《依存ロマンチック3》2017年、728×515mm、
木製パネルに紙・ペン・アクリル・シール

## 単純に言語化出来ない割り切れない感情や状況に心を寄せた世界

黒い画面に、主に銀や金のペンで描かれた世界。ペンなので滑らかなグラデーションを表現することはおそらく難しく、ある程度の太さの線をいくつも引くことで面を塗り、立体感を表現する――山中綾子は、一貫してこのスタイルで描き続けている。

その世界は、白黒が反転していることに加え、身体がバラバラに分解され奇妙に組み合わされるなど、少々風変わりなものだ。銀・金のペンによる描画のし方からして、いわゆる写実的なリアルさからは遠いところにある作風だ。

だがその作品は、山中の抱いている想いが形になったものだ。個展のタイトル「TREP VERTER」は当意即妙な言葉返しのことだと

★展示風景／写真：gallery hydrangea

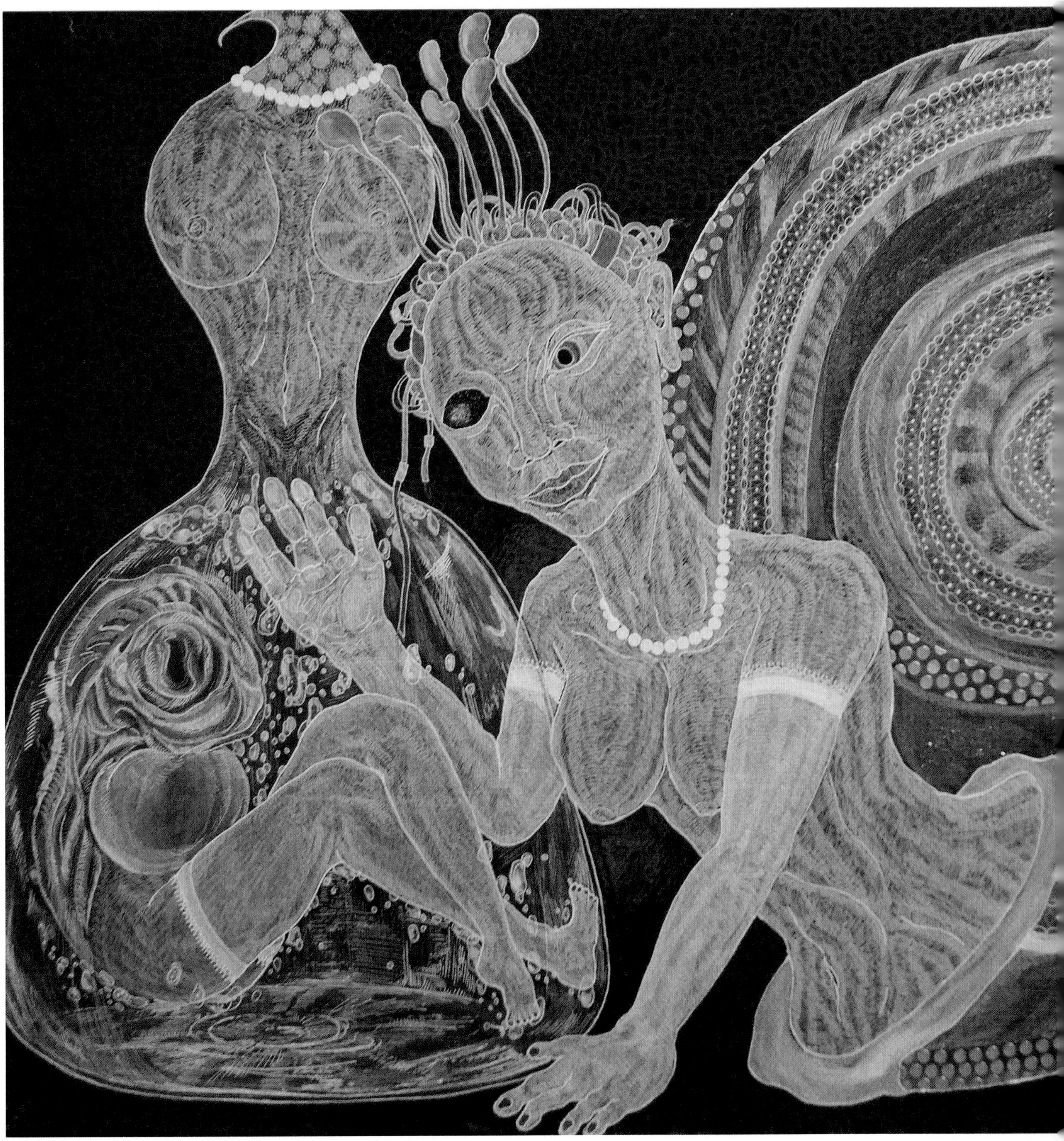

★《依存ロマンチック4》2018年、550×460mm、木製パネルに紙・ペン・アクリル・シール・鉛筆・メディウム

いう。そうした言葉返しが苦手であるがゆえに、絵によって、現実《リアル》からは窺えない裏の世界を表現する。その点で、黒い画面に銀・金のペンという手法は、実に象徴的でふさわしいと言えるだろう。

そこでは、さまざまなものが奇妙に混交し、とても饒舌だ。多くの作品で埋め尽くされた個展会場は、多種多様な言葉に満ちていた。絵は写実的ではないかもしれないが、そこから発せられた多くの言葉は、山中の持つリアルを語っている。

山中はひとつのテーマで連作を描くことが多いが、この誌面でメインで取り上げたのは「依存ロマンチック」のシリーズ。共依存関係をモチーフとしたもので、結合し、ひとつになることの幸せと苦しみが表現されている。《依存ロマンチック5》などで描かれる、2つ以上がくっついてしまう帯化（綴化）した奇形の花がまた象徴的だ。そうした痛ましさを、マトリックス状に貼られた丸いシールや、色とりどりの風船《依存ロマンチック9》などのポップな表象が中和している。「依存」の闇の側面をシニカルに描きながらも、それへの共感もにじませている。

《塔2》は、鉄塔を地母神に見立たものだという。高くそびえ、われわれの生活を支える存在を、ユニークに踊るような姿で描いた。巨大だが、やさしげに地上のわれわれを見守っている。

山中の作品は、ダブルバインドの状態にある存在を描きながらも、それへの視線は、その鉄塔の地母神のようにやさしいものを感じる。単純に割り切れない感情や状況を真摯に見つめ、割り切ることが出来ないがゆえに社会に迎合できず奇形的にみなされるものに心を寄せる。

考えてみれば、割り切ることができないからこそ、「TREP VERTER」が苦手なのかもしれない。ひとつの言葉にできない複雑な思いが、これらには満ちている。（沙月樹京）

※山中綾子 個展「TREP VERTER」は、2020年3月19日～29日に、東京・曳舟のgallery hydrangeaにて開催された。

平面のキャンバスでやっていたことを、
立体キャンバスに置き換えた

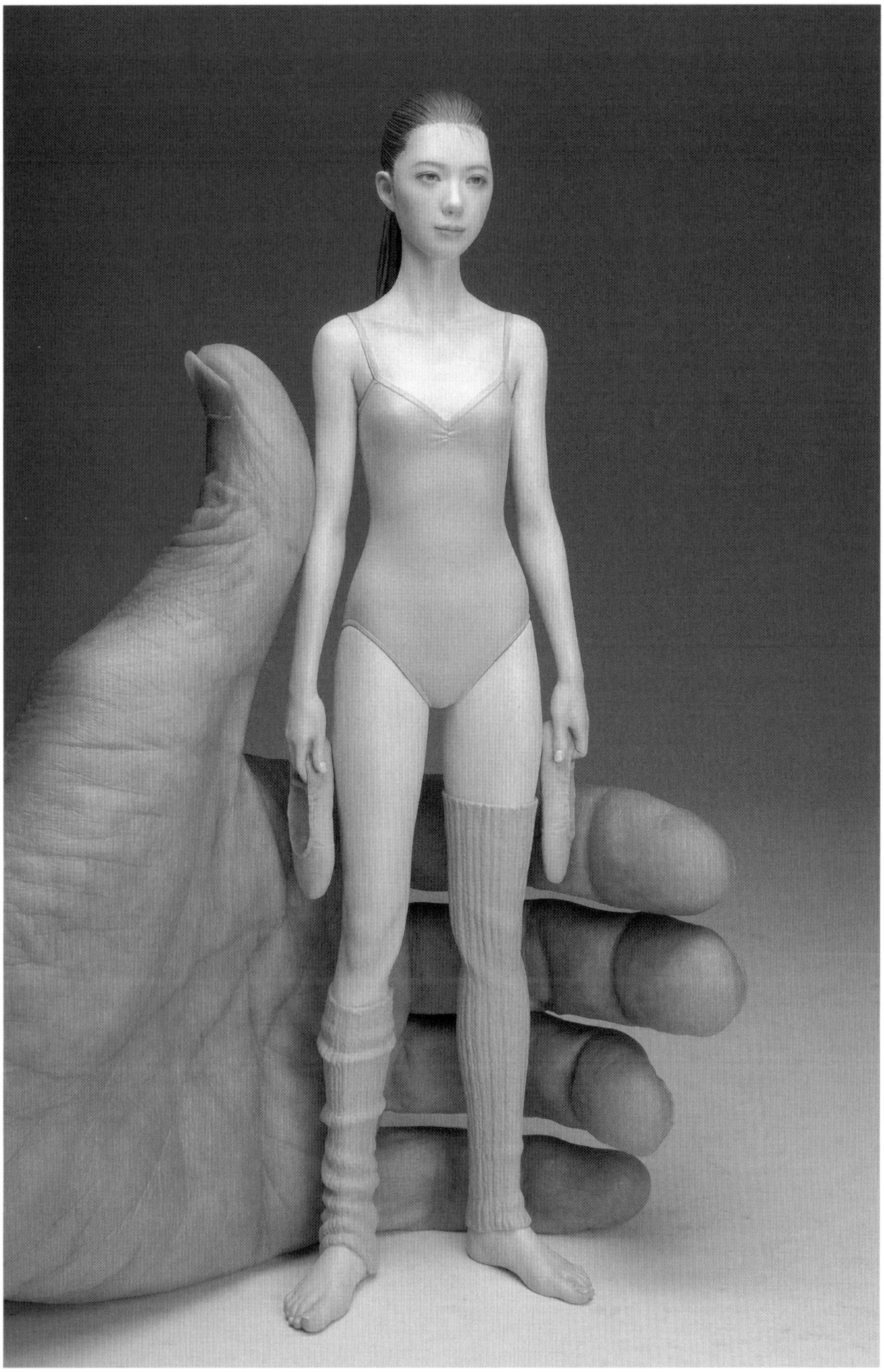

★《青春少女EX》1/8スケール、アトリエイット、原型：林浩己（右頁も）

# TAGAWA Hiroshi

## 田川 弘

◉文＝志賀 信夫

★《android EL01》1/6スケール、ディーラー96、原型：K

★《篠崎さん》ベース下部〜翼の先まで約22cm、ノンスケール、原型：ke

★《北領奇譚》ベース下部～銃口の先まで約18cm、ノンスケール、原型：ke

★《猫と銃女子》ベース下部～レンガの先端まで約16.5cm、ノンスケール、原型：ke

★《ミラクルガール12！》1/12スケール、カーゴパンツをショートパンツに改造、
ブリックワークス、原型：林浩己

★《団地妻（非武装バージョン）》1/8スケールをハードロックバージョンへ改造、使用ギター：フェンダーストラトキャスター完成品（メディアファクトリー）、アトリエイット、原型：林浩己

# 実体顕微鏡まで使い、ミクロレベルの塗装や植毛などを駆使、極小の世界でリアルを追究

田川弘は、フィギュアの原型に色を塗る着彩師、フィニッシャーである。単色で成型されたフィギュアを、実際の「人間」のようにする人といってもいい。というのは、それが実に細密であり、美しいのだ。あたかも現実の人間でもあるかのようなリアリティ。そして、単純に色を塗るだけではなく、磨いたり、髪の毛や睫毛を植えたり、さまざまな加工を施したり、小物をつくったりと、人形師の仕事に近いことをやり続けている。また最近、その技法を解説した『PYGMALION 女子フィギュア惑溺仕上げ』（大日本絵画）という本を出版した。筆者は、そこで公開された表紙にもなっている写真のリアルさに引き込まれて、今回、登場いただくことにした。そしてその創作の秘密などについて、お話をうかがった。

## 諦めた漫画家への夢

田川は子どものころは、小児喘息で学校を休みがちだった。引っ込み思案で大人しい性格だったこともあり、いつも一人で漫画の主人公を描いたり、プラモデルを作ったりして遊んでいた。そして五歳のころ、両親の田舎の実家のふすまに、親戚のお兄さんが田川の写真を見て描いた小さな絵が貼ってあったのを見て、とても感動した。まるで写真みたいだったのだ。それが、「写真みたいな絵を描きたい」と、田川が思うようになったきっかけだ。

田川は子どものころ、絵を描いたり工作をつくったりするのが得意で、図工の時間だけは、みんなが彼のまわりに集まってきて、つくり方を真似していた。そのため当然のように、中学二年生のころから画家や漫画家を意識するようになり、高校、大学ともに美術専門のところへ通った。大分県立芸術短期大学附属緑ヶ丘高等学校（現・大分県立芸術緑丘高等学校）は美術と音楽の専門校で、当然腕に自信がある子たちばかりが集まっている。生来の負けん気の強さと努力好きなのが功を奏して、次第に実力がまわりにも認められるようになっていった。高校二年生のころに本格的に漫画を描き始めて、三年生の夏休みに絵の夏期講習で東京の美術予備校に通うために、先輩のアパートに宿泊した。そして、学校が休みの日に、集英社に描いた漫画を持ち込むと、「君は少女漫画のほうが合っているよ」と助言を受けたので、少女漫画も意識するようになった。

そして、名古屋芸術大学時代の友人の一人が、少女漫画家志望で意気投合したので、少女漫画のノウハウを教えてもらって、描き始めた。当時、少女漫画雑誌『りぼん』のりぼん漫画スクールに投稿して「努力賞」をもらった。だが絵は描けるが、いいストーリーが浮かばず、高校三年の終わりころ、漫画家への夢を諦めた。そこで画家への夢に絞った。ただ、高校の頃からデッサン重視で対象物を写真のように描いていたから、「作品のどこに自分があるのか」という壁にぶつかって、それを乗り越えるのに八年かかったという。

★（右頁2点）《WJ-607》1/6スケール、アトリエイット、原型：林浩己
（左頁右）《HQ-12-03》1/12スケール、アトリエイット、原型：林浩己
（左頁左）《HQ-12-05》1/12スケール、アトリエイット、原型：林浩己

## 等身大の女性の全身像を描く

田川弘の作品は、ほとんどが女性である。どうしてだろうか。田川が女性を描き始めたのは高校生のころだった。彼は、描いているときに感情移入しているので、精神的にも肉体的にも女性になり切っているらしい。それは、当時の感じていた女性像であり、そういう別の人格になることができるのが楽しかったからだろうという。そして、そのキャラクターを架空の世界で生きているように動かすことができるのが、漫画や絵画だった。

当時、女性は恋愛というよりもあこがれの対象で、神のように崇めていた。だから、初めて女性と付き合って、手を取り合ったときに初めて、女性を神から女として感じ、自分と同じ人間としてみるようになったという。ただ、テレビや雑誌のグラビアのアイドルは違う。やはり「神」だった。特に、小悪魔的な魅力のあるアイドルが好みだった。

通常、女性像を描く画家は、顔だけ、もしくはバストアップ、胸像が多い。だが、田川弘は、当時から「人形をつくる意識で女性の全身像を描いていた」らしい。それはどうしてだろうか。

これは、漫画が始めにあったからだ。主人公を自分の作り出した架空の世界で、まるで生きているかのように動かすことができる。女性たちはそれぞれ性格を持ち、それに沿って、彼女たちをロックミュージシャンにしたり、失恋したどん底の精神状態の少女にしたりする。つまり、全身を描くことで、キャ

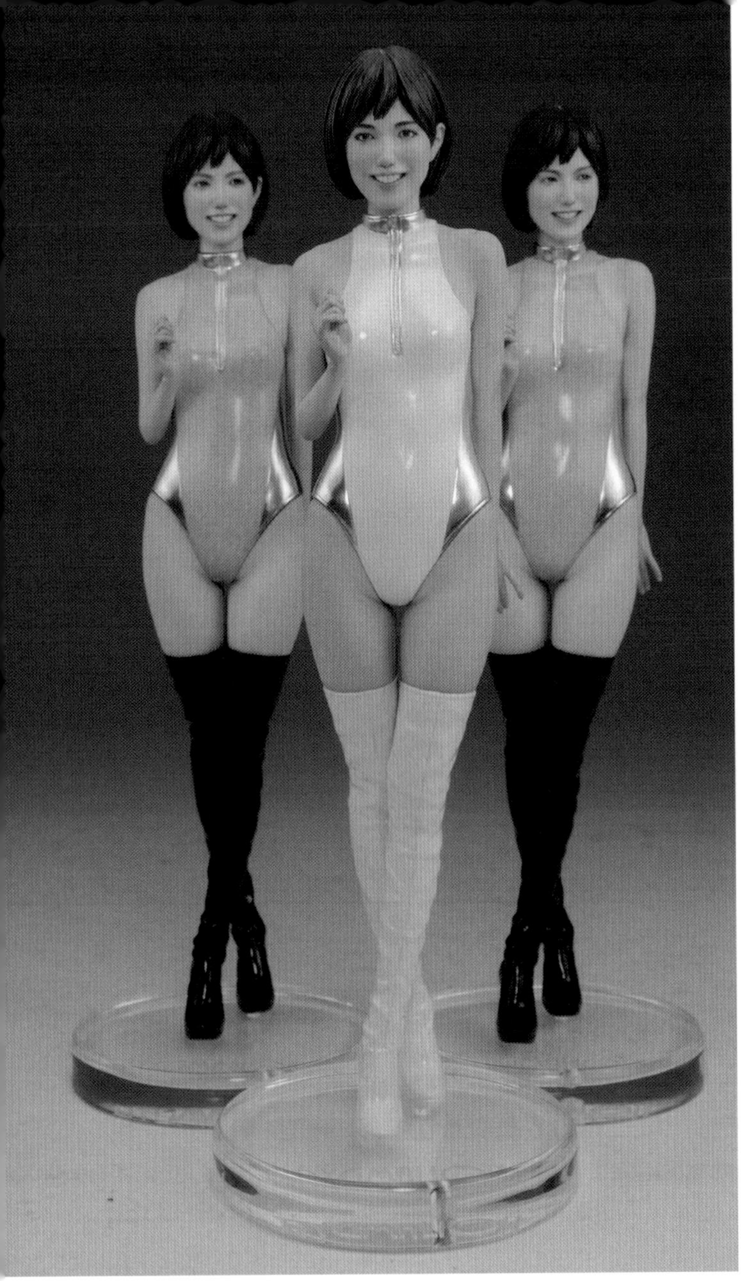

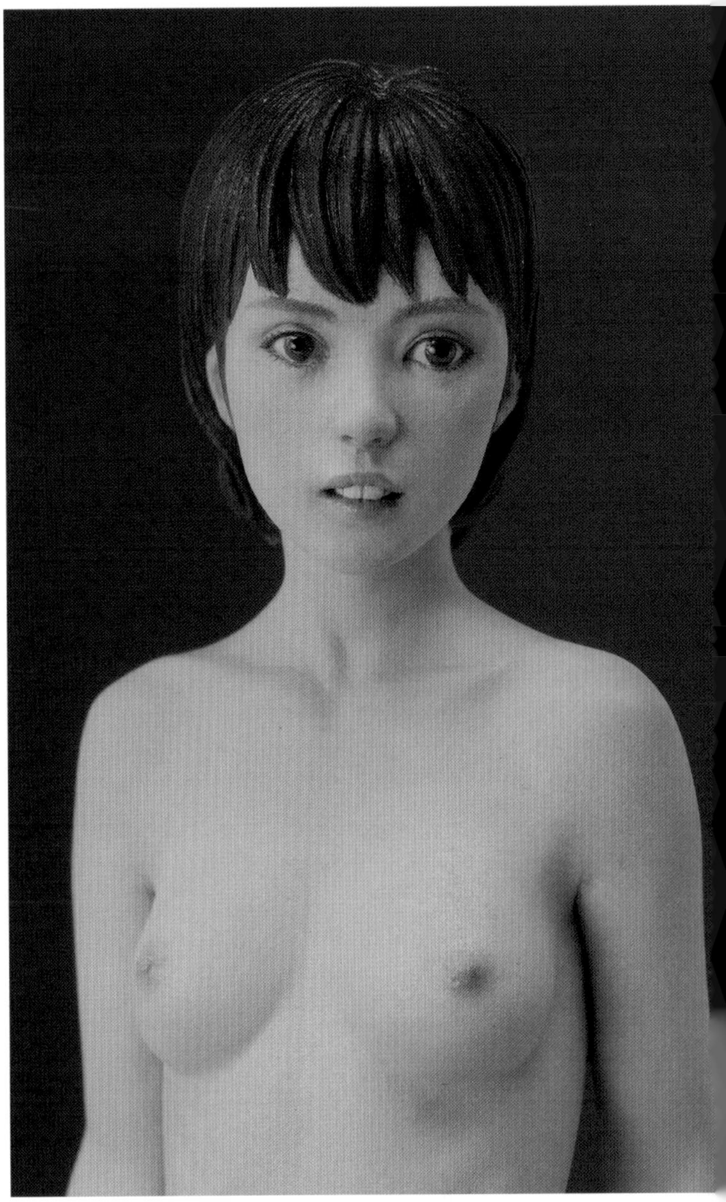

ラクターを持った一人の人間として完成させたかったのだろうという。

そして、二七歳のころ、油絵で等身大の女性を描き始めた。その作品『Mediums』（一九八八年）は、東海地区最大のコンペティションである「中日展」で大賞を受賞し、さらに翌年、安井賞にも入選した。そして、ジュモーなどのアンティークドールに関心があり、現代の人形作家では天野可淡に惹かれていた。いい人形は、そのまわりに聖域を持っていて、神であり、人間ではそういうものを感じる人はなかなかいないと田川はいう。

確かに、筆者も、素晴らしい人形には何か聖的なものを感じることがある。もちろん人間に近いのだが、むしろ人間を超える存在にも思える。それが、聖なるものと感じさせる理由なのだろうか。

田川は、その中日展大賞から、画家への道を歩み始めた。当時から、自分の描いた等身大の女性の絵を前にして、「私は女性の絵を描いているのではありません。この平面の中に女性の人形を作っているのです」と語っていた。だが、その真意を理解してくれる人は少なかった。実は自分でもよく理解してなかったともいう。そして、個展やグループ展を精力的にこなし、東海地区では名前もかなり知られるようになった。

ところが、いい作品は湯水のようにあふれ出てはこない。そのうちに作品を発表することに苦痛を感じるようになってきた。そのころ、結婚、育児、会社の仕事などから、製作活動が疎かになっていく。そして、ずっと集中する絵画から、気が向いたときに乗れる自転車を趣味にして、絵画の世界から自然に離れていった。そのため、どっぷりと自転車ライフにはまった。

## フィギュアをキャンバスにリアルを追究

それから三年ほどして、ある男性情報誌に「ヌードフィギュアを組み立て彩色してあなただけの女性像にしてみませんか?」というタイトルを見つけた。それがフィギュアとの出会いだった。全身を使う自転車の世界も楽しいけど、たまには手先の世界もまたやってみたい。そんな感覚で始めてみたら、初めてなのに全然違和感がなかった。平面のキャンバスで同じことをやっていたからで、それが立体キャンバスに変わっただけだった。三カ月に一体くらいの割合で、作品をつくり続けた。やがて、自分の作品をSNSで発表し、ファンがどんどん増えたころ、二〇一九年に勤めていた会社を定年退職する三年ほど前から、フィニッシャーを意識し始めた。

田川の作品は、実に細緻である。睫毛を植え込んだり、さまざまに手を加えたりする。実体顕微鏡まで使うという。そんな技法について語ってもらった。

彼は、フィギュアの塗装を始めた当初から、髪の毛や睫毛を植毛していた。それは、好きだったアンティークドールや創作人形の影響だった。人形の髪の毛、ドールヘアーは、人形製作の本を買って、見よう見まねで植えた。そして、まつ毛は独学だった。最初の頃は四分の一や六分の一という、大きなキットばかり塗装した。実体顕微鏡を使い始めたのは、当時参加していたSNSの「fg」という、自分が組み立て塗装したフィギュアやガンプラの作品画像をアップロードして批評し合う場所で、友人が使っていたからだった。でも、まともに使えるようになったのは、購入してから六カ月ほどしてからだった。それまではヘッドルーペで覗いて塗装していたが、顕微鏡の使い始めは、その部分的な確認のために使用していた。現在は、田川の塗装の代名詞みたいになってしまうくらい使用頻度が高いという。

実体顕微鏡では、勘でやっていたものが実際に見える、そこに、その色が、その形で、確実に塗れるのだという。例えば、ごく細いトゲが指に刺さってチクチクするとする。

★《HQ-12-04》1/12スケール、
（タイトル「真夏の夜の夢」へ改造、ワイングラス・スプーン・梯子を追加）、
アトリエイット、原型：林浩己

PYGMALION
女子フィギュア惑溺仕上げ
我を忘れる熱意をこめて
恋をするほど美しく

★田川弘『PYGMALION　女子フィギュア惑溺仕上げ: 恋に落ちるほど美しい、魅惑の女性像・田川弘フィニッシュワークAtoZ』（大日本絵画、税別2700円）

ルーペで見るとうっすら黒い点のようなものが見える。たぶん、それが刺さったトゲなのだろうと、ルーペで見ながら先の尖ったカッターナイフでほじっても、普通は傷つけるだけだった。ところが、この実体顕微鏡とそれに合う道具があれば、確実にそのトゲの先端をつまみ、痛い思いをすることなく取り除くことができる。こんな例を田川は示してくれた。確かに、トゲが刺さったときには、同じような体験がある。この例え話のリアルさに、田川の作品のリアルさが表れているように思えるのだ。

その実体顕微鏡を使った作業は独学だ。ただ、レンズを覗いても、レンズが二つある双眼鏡状態なので、最初から焦点が合わない。また、筆で描こうとすると、それまで尖って見えていた筆先が松葉ほうきくらいに大きく見えるし、カッターで削ろうとすると、その刃がぼろぼろだとわかる。そうやって、毎日が新しい発見で、勉強だったという。

フィギュアは四分の一から二十四分の一まで大小あるが、二十四分の一だと手のひらに乗る。その顔、目を描いたり睫毛をつくったりというと、まさにミクロの世界である。そのような極小の世界でリアルを追求するというのが、田川の作品の凄さであり、魅力である。大きく描いて縮小するというのは、アートワークでよく使われる。イラスト、漫画などの原稿は、デジタルになる以前は、大きく描いたものを小さくして入稿するのが普通だった。田川はその真逆を追求しているのだ。だが、ドールハウスやミニチュアづくりとは、また違う。田川はあくまで、描くことを基本にしている。美しい顔を描く、身体の美を追求する。それが中心にある。それを常に感じさせるのが田川作品の魅力ではないだろうか。

## シチュエーションを考えて塗装する

田川の作品には、たびたび物語が感じられる。それはどのように発想されるのだろうか。田川は、塗装する前に、まずシチュエーションを必ず考える。フィギュアのポーズを見ながら視線を決めると、自然にストーリーができていくという。これも、漫画を描いていたことが役立っている。漫画家は、映画でいうと監督であり、美術であり、照明であり、役者であり、音楽家でもあるからだ。田川は、そうやってシチュエーションを考えて塗装し完成させた作品は、まわりにその空気が漂い始めると感じている。そんな田川が、つくるときに、もっとも大事にしていることは、そのフィギュアを愛すること、その中に入っていくことだという。

田川は、完成したフィギュアを写真に撮る。それは実に巧みで、かなりこだわっているように見える。だが、驚いたことに、彼は、カメラには昔から興味はなかった。だからカメラの知識はまったくなかったという。ただ、会社勤めしていたときに、テレビや舞台の美術関係の仕事だったので、CMの商品撮影、舞台やテレビのカメラや照明の当て方などは、自然に記憶していて、それを思い出しながら、見よう見まねでやっているそうだ。

また、もともと絵描きを目指していたから、構図を決めることは得意で、以前のSNSに完成画像をアップロードすると、仲間が批評するため、照明にもかなりこだわるようになった。現在は、完成させたフィギュアよりも、それを撮影した画像を自分の作品として重きを置くようになってきている。これは、画家を目指していたころ、平面作品を追求したなごりだという。つまり、田川弘は、平面と立体を行き来する美術家だということもできるだろう。

## 原型師の幻想をリアルに広げる

田川弘が影響を受けたのは、ドミニク・アングル、ラファエル前派のジョン・エヴァレット・ミレイ、ジョン・ウィリアム・ウォーターハウス、ダンテ・ガブリエル・ロセッティ、ウィーン幻想派のグスタフ・クリムト、ルドルフ・ハウズナーなどだという。

アングルはやはりあの女性の肌の質感ではないだろうか。『泉』（一八五六年）や『トルコ風呂』（一八六二年）などで顕著だ。ミレイの『オフィーリア』（一八五二年）の耽美性は魅力的であり物語性がある。そしてそれを含めたロセッティに代表されるラファエル前派は、女性たちが実に美しい。クリムトやハウズナーは、そのリアルさとデフォルメ感が魅力だろう。

田川のフィニッシュワークしたフィギュアは、女性、女子高生などの極めてリアルなものと、姿や身体、表情はリアルでありながら、強い幻想性をもつものがある。フィギュアなので、元は原型師の発想だろうが、その幻想をリアルに広げて伝えるのが、田川である。ロセッティやクリムトの持つエロスと幻想性、装飾性が田川の中で発酵して、これらの作品を生かしていると感じられる。

そして、美術以外だと、アニメの『宇宙よりも遠い場所』『シドニアの騎士』、ブライアン・イーノ『鏡面界』、ボーカロイドの初音ミクと鏡音リンを挙げた。田川の作品のSF的要素、そしてイーノの宇宙性や、シンセサイザー、デジタル感覚が作品に反映しているように思える。

田川は、現在アジア中心のファンが多いが、今後はアメリカやヨーロッパでも知られるように、広げていければ、と思っているという。実際に、日本のフィギュア文化は欧米でも広がっている。村上隆がいち早く取り入れて作品にしたものは、驚く金額で取引されている。筆者は、かつての等身大絵画のように、百号以上に延ばした写真と現物の展示で、そのインパクトとともに、田川の精密精緻な表現のリアルさを伝えることができるのではないか、と思っている。

（志賀信夫）

FILE.26-05

◉文=沙月樹京

# NAKAJIMA Ayami

## 中島　綾美

★《天使のゴブレット》2020年、600×500mm、インク・染料・岩絵具・和紙

果たしてあなたは、
この図像から
どのようなイメージを紡ぎ出すだろう

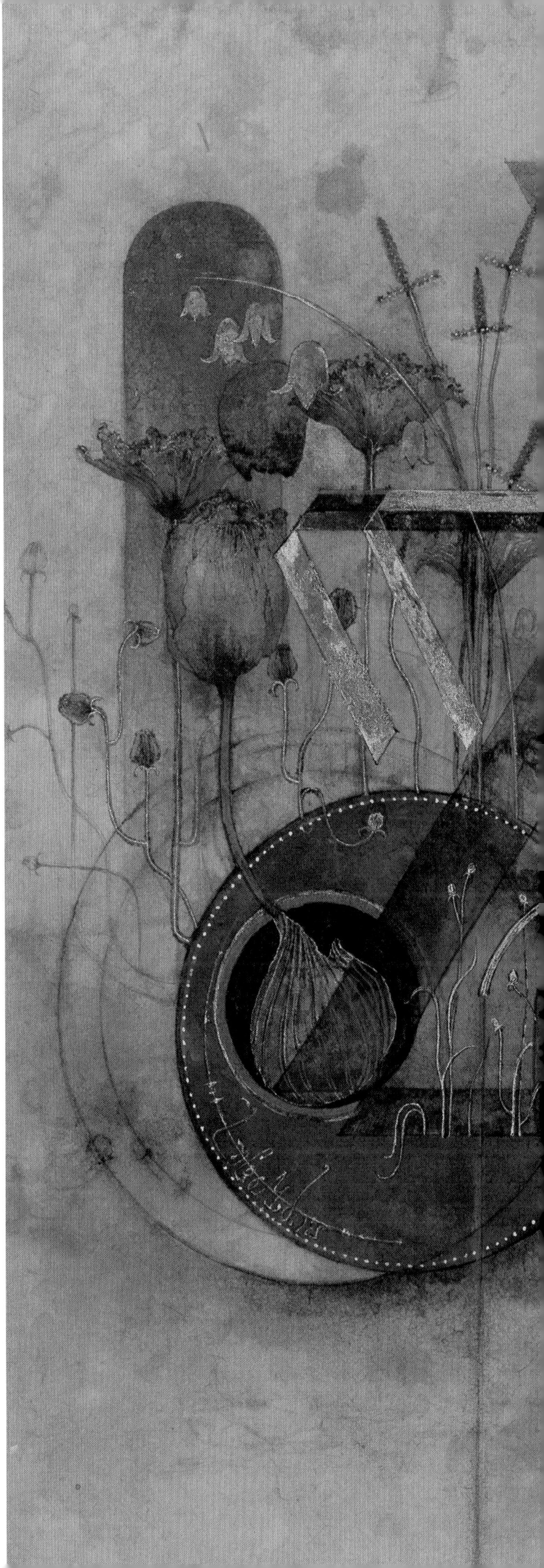

★《天使の輪郭》2020年、450×540mm、インク・染料・岩絵具・和紙

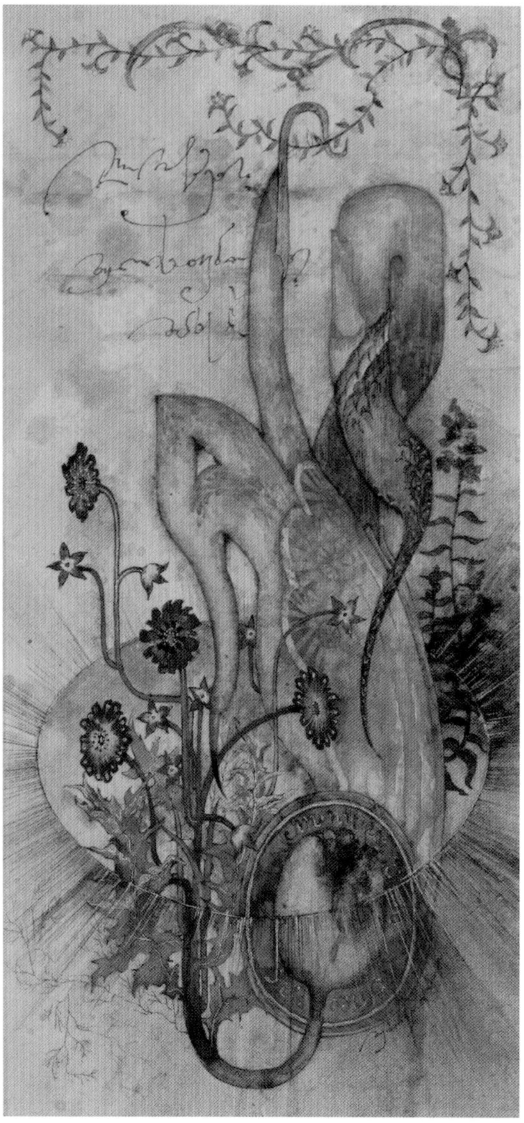

★《司祭の系譜》2020年、400×310mm、インク・染料・岩絵具・和紙

★（右頁上）《極楽鳥》2020年、400×500mm、インク・染料・岩絵具・和紙
（右頁右下）《ホーリーカード（多義）》2020年、300×200mm、インク・染料・岩絵具・和紙
（右頁左下）《ホーリーカード（鳥）》2020年、300×200mm、インク・染料・岩絵具・和紙

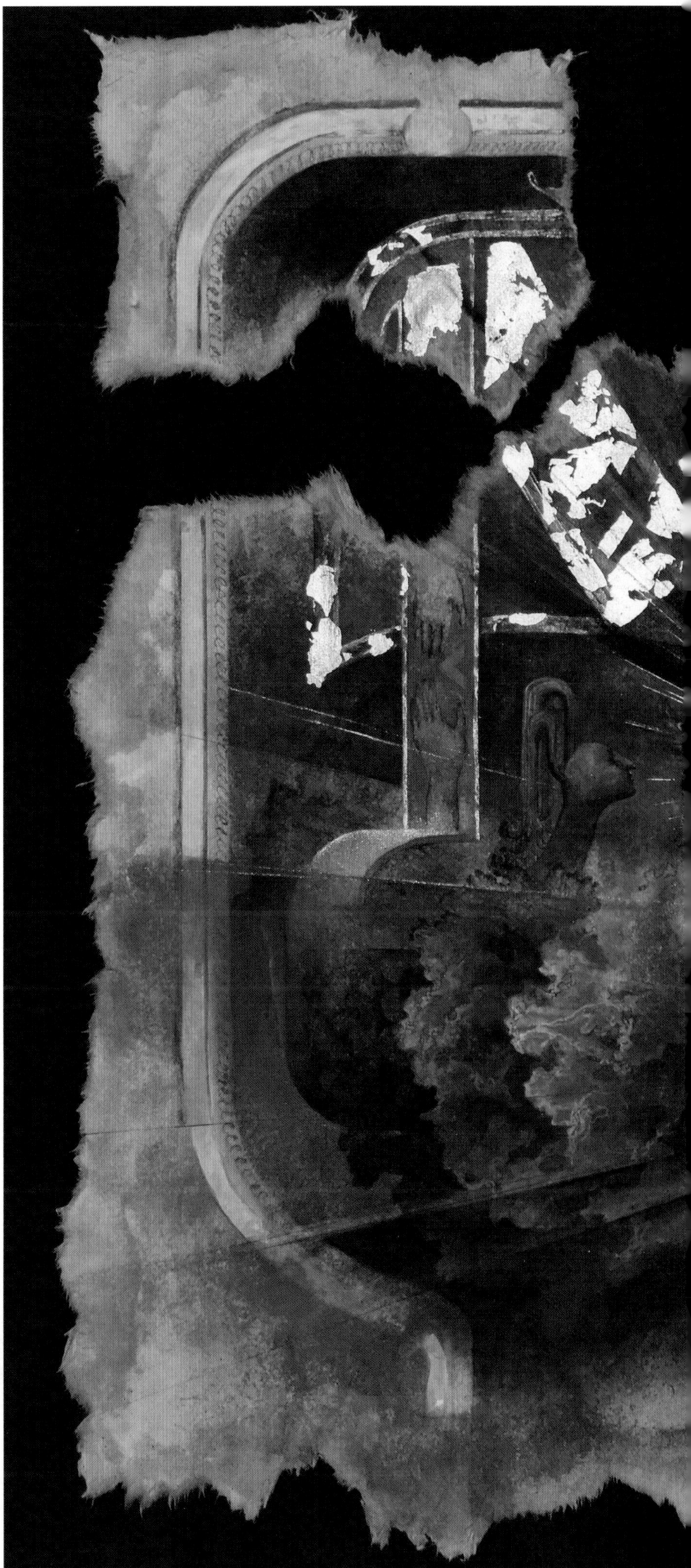

★《閨下指令室》2020年、610×730mm、インク・染料・岩絵具・和紙

★（次頁）《未完の地図》2020年、727×1000mm、
インク・染料・岩絵具・和紙・綿生地・キャンバス

天使の輪郭

★《ペーパードール》2020年、190×160mm、
インク・染料・岩絵具・和紙

〝蒐集物〟というさまざまな欠片を
提示することで
観る者の脳裏に天使の像を結ぶ

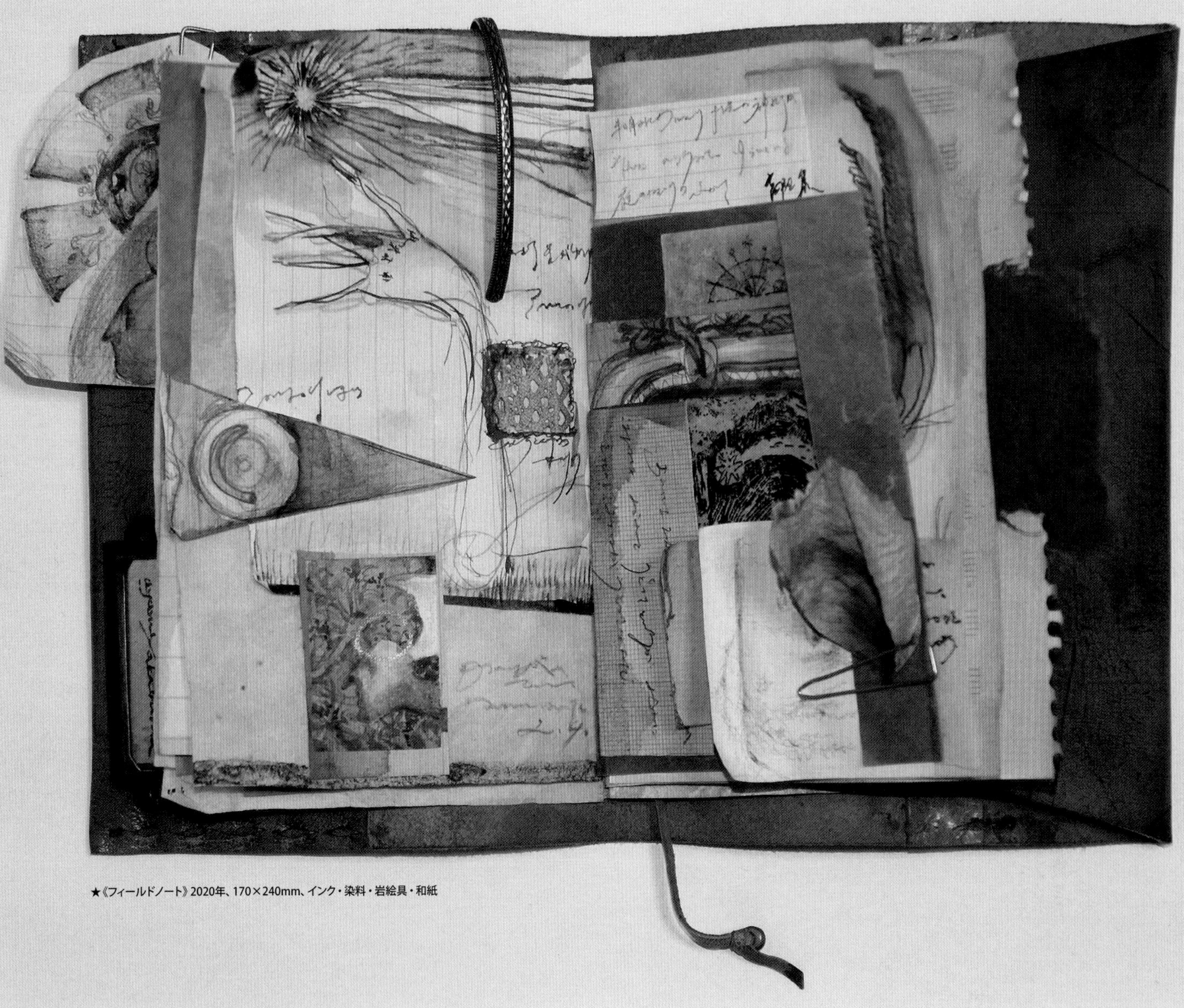

★《フィールドノート》2020年、170×240mm、インク・染料・岩絵具・和紙

★《果実の天使》2020年、250×230mm、インク・染料・岩絵具・和紙

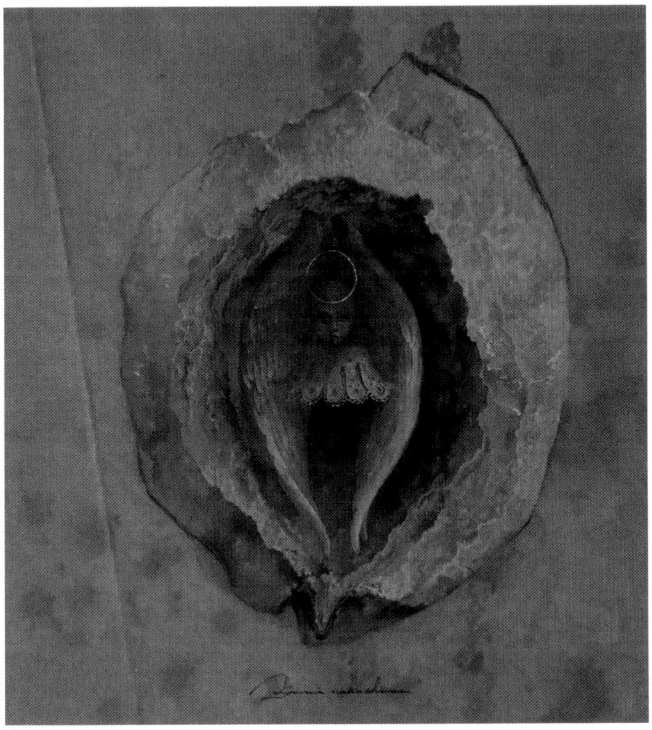

これらは、ある蒐集家のコレクションなのだという。何のコレクションかといえば——あなたはこれらから、蒐集家が追い求めていたものを言い当てることができるだろうか。

その成果のひとつは《天使の輪郭》という。「天使」は、実は私は見たことがない。比喩的な意味ではなく、古来から伝えられている、翼を持った神の使いのことだ。もちろん、絵画に描かれているものは数多見たことがあるが、その画家は本当に天使を見て描いたのだろうか。そこに描かれた姿を真実だと信じてしまっていいのだろうか。天使は、ふだんは人の目には見えないのだという言説を読んだこともある。

この蒐集家も、そうした疑問に対する明確な答えを提示しない。これだ!という決定的証拠はなく、曖昧模糊とした欠片の数々が並ぶだけだ。われわれはそれらを前にして、蒐集家が追い求めていたものを、その足跡を呆然と想像するしかない。さまざまなものがコラージュされた大きな《未完の地図》を眺めながら、蒐集家がどこへ消えてしまったのか、天使は果たして見つかったのか、時空を超越した夢想の中へと、われわれは引き込まれていく——。

中島綾美の個展は、蒐集家の部屋というコンセプトで会場全体に多様なイメージを散りばめたものだった。古びた風合いの和紙の上に意味深げなイメージを重ね、すなわち真偽の疑わしい〝蒐集物〟を見せることによって、真実《リアル》とは何かを問いかける。

また同時に、具体性を欠いたイメージは、観る者の想像力を自由に羽ばたかせる。会場を巡っていくうちに、蒐集家の姿と、天使という見たことのない存在が、それぞれの鑑賞者の脳裏に像を結んでいく。作品に描かれなくても、脳裏においてリアルな天使像が出現するのである。

（沙月樹京）

※中島綾美 個展「天使の輪郭」は、2020年7月16日〜26日に、東京・曳舟のgallery hydrangeaにて開催された。

◉REPORT◉

# 吉田有花×宮崎まゆ子×きゃらあい
## 「裏Kawaii」展

◉文＝沙月樹京

## MIYAZAKI Mayuko
## 宮崎 まゆ子

★《half moon》2019～2020年、227×227mm、油彩・テンペラ / パネル

★《おおきなふたり》2020年、318×410mm、油彩・テンペラ / キャンバスに白亜地

## 身体は、魂の抜け殻

★《いっせき》2020年、158×227mm、油彩・テンペラ / キャンバスに白亜地

★《あさぼらけ》2020年、190×273mm、油彩・テンペラ / キャンバスに白亜地

★《ちょうどいいな》2019～2020年、380×410mm、油彩・テンペラ / キャンバスに白亜地

★《むしのたましい》2020年、333×242mm、油彩・テンペラ / キャンバスに白亜地

★《むく》2020年、227×158mm、油彩・テンペラ / キャンバスに白亜地

# KYARAAI
## きゃらあい

★《ゴミと宝は紙一重》2019年、400×400mm、アクリル / 綿布

★《くさのうみ―張り紙》2020年、90×140mm、アクリル / 綿布

汚れた海も、美しく見えた

★《くさのうみ―曲がった柵》2020年、90×140mm、アクリル / 綿布

★《人間目線で捉えればそーだし》2020年、158×227mm、アクリル / キャンバス

★《たたかっています》2020年、158×227mm、アクリル / キャンバス

★《戦略的紙ふぶき》2019年、273×273mm、アクリル / 綿布

ネットの向こうにも、リアルな「個人」がいる

★《個人07》2020年、227×227mm、アクリリック・アクリルガッシュ・グロスバーニッシュ / ケント紙

★《座りながら》2020年、300×300mm、アクリリック・アクリルガッシュ・グロスバーニッシュ / ケント紙

# YOSHIDA Yuka
## 吉田 有花

★《仕方なし》2020年、220×273mm、アクリリック・アクリルガッシュ・グロスバーニッシュ / ケント紙

★《ビニール傘》2020年、227×158mm、アクリリック・グロスバーニッシュ / ケント紙

## 自身の身に染み付いた「かわいい」を通して〝リアル〟を描き出す

コロナ禍のもと緊急事態宣言が出されたことにより、ウェブ展示となった「裏Kawaii」展。「かわいい」という世界的に広まったその価値観は、逆にその一言だけで思考停止させ、その裏側にある暴力性とでも言えるものを隠蔽させてしまう。そうした「かわいい」のダークサイドをテーマとした企画展であった。

この3人の作家が物心ついたときにはもちろん、「かわいい」の価値観は世に蔓延していたろう。「かわいい」は、遠くにあって求めるものでも批評的に分析するものでもなく、環境のひとつとして自然に身の中に吸収されていったにちがいない。もちろんそれは彼女たちだけでなく、その世代のだれもに共通しているものであろう。

しかしこの3人の作品は、現実のリアルな風景や感情を画面に投影するために、その「かわいい」という価値観による異化を巧みに導入していると言えるかもしれない。「かわいい」という幻想に彩られた世界を描くのではなく、「かわいい」をリアルを表現する一要素して取り入れる。「かわいい」を信奉するのでも憧憬するのでもなく、自身の身に染みついた一要素として扱うから、その虚飾に惑わされることなく、その暗部も遠慮なく照射する。それゆえその作品は、「裏Kawaii」という印象を与えるのだろう。

宮崎まゆ子は、油彩やテンペラを用いて人物像を描く。だがその人物には瞳がなく、目は空洞のように塗りつぶされている。魂の抜け殻のようなのだ。本展のテーマに関連づければ、そのことによって「かわいい」の虚無さを告発していると言えるかもしれない。

《half moon》は、人物の空洞さをより強調するために頭を半分欠けさせ、半月に模して描いたのだという。《おおきなふたり》はそれに対し新月をイメージし、新たに生まれてくる身へ受け継がれていく情景が表現されている。この作品のほか、ここに掲載したものの多くは白目がちゃんとあるのだが、でも逆光の影となったその姿は、少々不気味だ。また《いっせき》は、腹が湖へそが船のように見えたから「一隻」と名付けたというが、そこからも、身体をあくまでも魂の抜け殻として、形骸としてとらえる態度がうかがえる。そして《ちょうどいいな》では髪が顔を覆い、さらに不気味さが色濃い。しかもよく見ればその少女は、腕の中に生首を抱えている。いずれの表情も見せないことで、「かわい

★《会合》2020年、333×333mm、アクリリック・アクリルガッシュ・グロスバーニッシュ / ケント紙

い」と呼ばれることを端から拒否しているようだ。

きゃらあいは、作品を発表し始めたのは、ボーカロイドの曲にデジタルイラストを提供したのが最初だというから、いまの時代ならではのキャリアと言えようか。2014年よりペインティングの展示活動を始めている。

きゃらあいは大阪の汚れた海を眺め、工場の煙を吸いながら育った。その環境はいいと言えるものではなかったが、いま思えば、そうした汚れさえ美しく感じられるのだという。美しいものや環境にいいものを愛でることだけで生きていくことはできない――図らずもコロナ禍により、ウイルスという穢れとともに生きていかなければならない状況になっている。

その大阪の汚れた海や工場の煙を、きゃらあいは描き出す。その前景として描かれる少女像は、かわいいキャラとしてデフォルメされたものだが、そのかわいらしさは、汚れた海を美しいと感じた自身の心境の代弁にもなっているのかもしれない。かわいらしさでもって、そのキラキラした輝く瞳でもって、汚れた海に感じた美しさを表象しているのだ。

吉田有花は小誌 file.21 でも紹介したことがある。大きな目をした丸い顔の少女たちが特徴的で、その存在が、昭和的な場末の光景をかわいい身近なものへと異化させる。《会合》という作品は、アバターを使ってネットで会合している様子を描いたものだというが、ブラウン管テレビなど昭和臭がやはり漂う。《個人07》など「個人」のシリーズも、ネットから着想されたものだ。ネットで繋がった相手は、画面上では文字やアバターなどのデータでしかないが、その先にちゃんと実体を持った個人がいるのだという思いが込められている。その個人の回りを埋め尽くしているのは、ツイッターのアイコンやラインのスタンプ、絵文字などをイメージしたものだそうだ。

《会合》や「個人」のシリーズは、ネット上の虚像を吉田なりのリアルな世界に召喚する試みなのかもしれない。ヴァーチャルとは対極の世界で、ヴァーチャルのリアルを探る。それでも《仕方なし》では、ネットを表象する絵文字らしきものが画面を横切るものの、休業を知らせる張り紙や、電子ではなく紙の手紙を受け取る郵便受けの存在が、実体あるものへのこだわりを表明しているように感じた。

（沙月樹京）

※吉田有花×宮崎まゆ子×きゃらあい「裏Kawaii」は、2020年5月9日～20日に、大阪・中崎町のSUNABAギャラリーにて開催された（ウェブ展示）。

# 作品は、人の中の「人」に対面する入口

◉文＝沙月樹京

◉INFORMATION◉

## 小野愛×竹下真澄×平井豊果
## 「アポリアの休日」展

★《Quiet voice》2020年、h20×w16×d9cm、楠・アクリル・金属

★《Inviting the sky of May》2020年、h22×w14×d4cm、楠・アクリル

★《Walk side by side》2020年、h20×w14×d8cm、楠・アクリル

## TAKESHITA Masumi
## 竹下 真澄

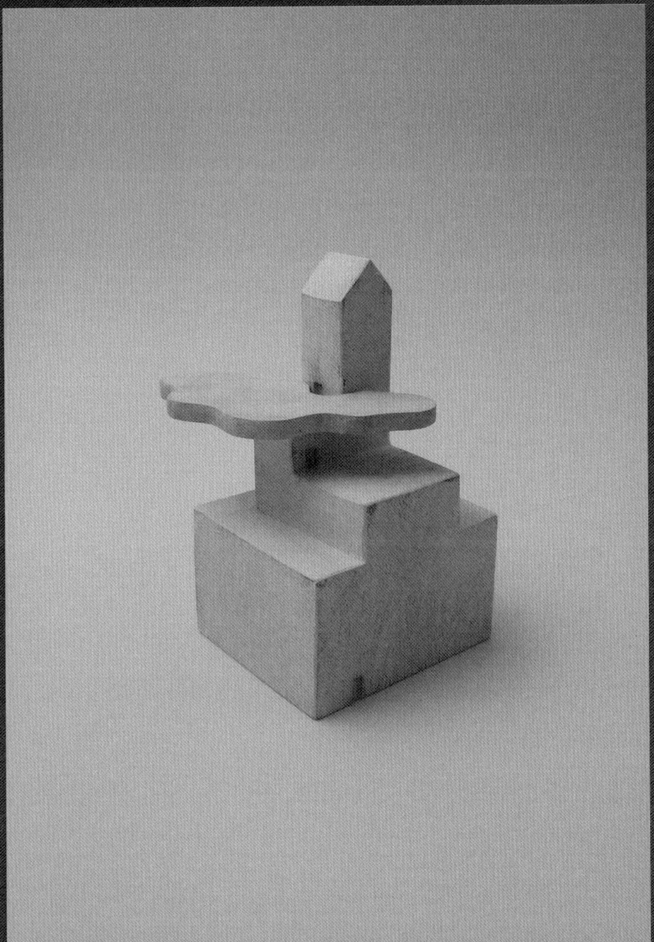

★《An accessible sky》2020年、h15×w10×d8cm、楠・アクリル

★《Connect the sky》2020年、h13×w17×d7cm、楠・アクリル

## HIRAI Yutaka
## 平井 豊果

# 毎日1作品、絵を描き続ける

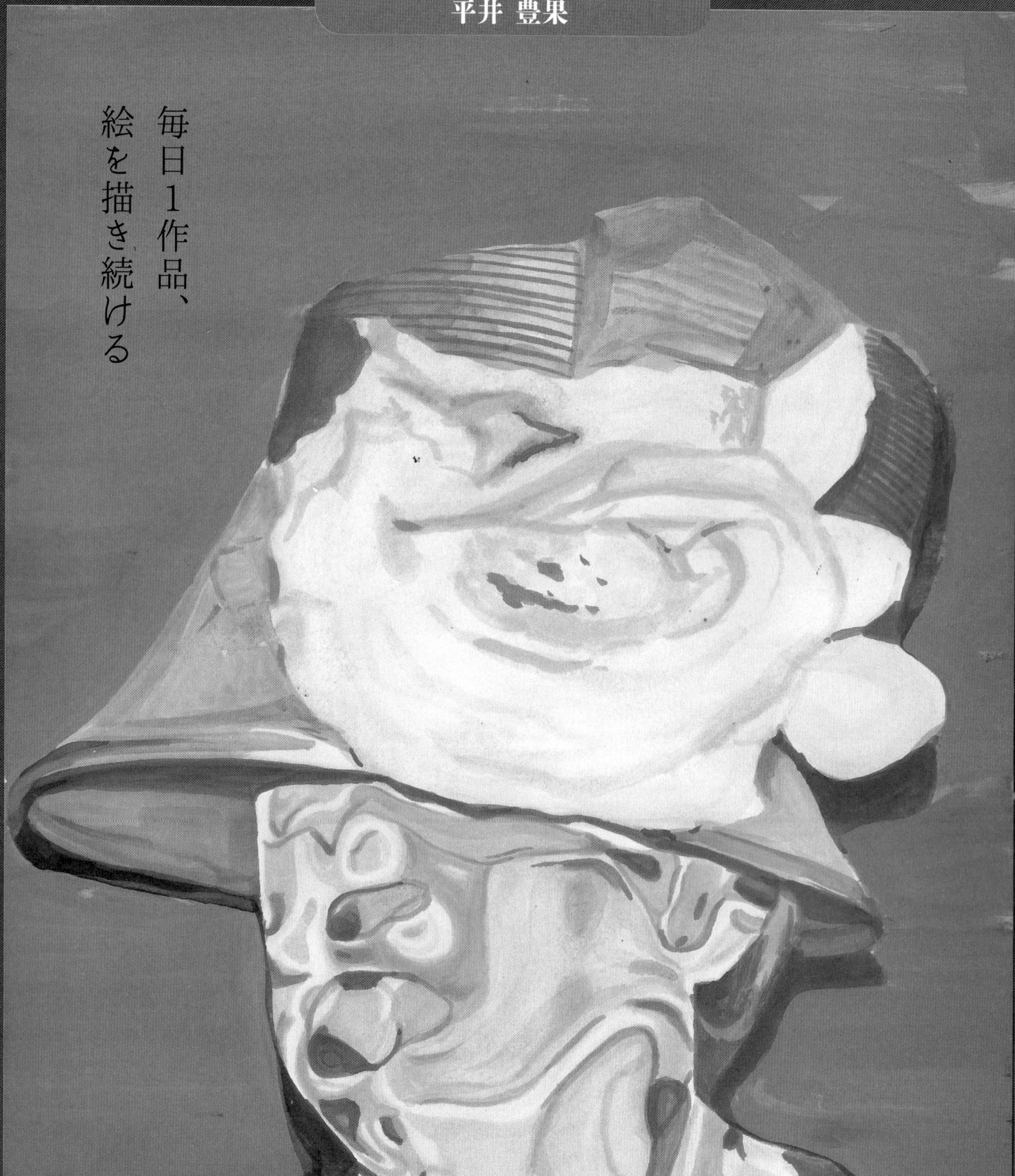

★《blind madam》2020年、210×297mm、アクリルガッシュ・コラージュ

★（左頁）《AwesomeQueen》2020年、297×420mm、アクリルガッシュ・コラージュ

★《abs man》2020年、257×364mm、アクリルガッシュ・コラージュ

★（左頁）《hitman》2020年、297×420mm、アクリルガッシュ・コラージュ

# ONO Megumi
# 小野 愛

★個展「時間を縫って眺める。」展示風景
中央の作品は、《in the fog》2019年、h44×w34×d23cm

★（左頁）《ありふれた日々》2018年、h160×w90×d90cm、布・綿・糸

## 日常に向き合い、日々を積み重ねることで生まれてくる表現

たとえコロナ禍の中においても、時間は流れていく。少しだけ日常というものが変わったかもしれないが、それでも着実に時は流れ、「いま」は一瞬のうちに過ぎ去っていく。その中でどのような時間を積み重ねていけばいいのだろう――。

kafkanako企画による「アポリアの休日」展は、そうした日常にそれぞれ向き合いつつ制作を続けている3人の作家のグループ展である。

「アポリア」とは、行き詰まりや困難、解決できない難問のこと。例えばこの時代を生き抜くことや、それを考えている間にも時間が過ぎ去ってしまうことに対して、人はしばしばアポリアに陥る。だがそれに囚われて立ち止まってしまうことなく、黙々と自分の日常を蓄積していく姿をこの3人の作家に見て、このような展覧会のタイトルになったのだろう。

そこにあるのは、ほんとうにささやかな日常だ。

木彫などによって人体像を作り続ける竹下真澄は、出会った人や、道行く人を観察することで人のイメージを自分の内側に作り上げ、木彫として具現化していく。だれかを模写するのではなく、特定のだれかではない人という存在を生み出す。すなわちその作品は、人の中の「人」に対面する入口なのだという。作品が素朴であるがゆえに、観る者も抵抗なくその「人の中」に入っていけるにちがいない。今回の展示では人以外の木彫も出品予定だが、それも、自分の内面に結晶した光景であるにちがいない。そうして竹下は、日々結晶したイメージを形にしていく。

平井豊果はまさに、毎日1作品、絵を描き続け、日常を1日1日積み重ね続けている作家だ。そうした制作は2013年の末頃から続いているのだという。その作品は、映画のシーンのようなものもあれば、奇妙な幻想に彩られたものもある。思いつくまま筆が進められたかのような軽さのある筆致は、だが、観る者に確かな余韻を残す。おそらく、その日その日の作家の内面がそこにスケッチされているのだろう。絵の具のにじみが、たゆたう内面を表象しているかのようでもある。

小野愛の作品は、布でできている。布に綿を詰め、まるで千人針を縫うかのように、ひと針ひと針に思いを込めて作品を作り上げているのだという。そのひと針ひと針によって生まれてくるヒトガタは、小野が対峙し続けたささやかな日常を内包しているのだろう。ヒトガタに、さまざまなものやときに抽象的な形が組み合わさることによって、その思いが物語性をもって立ち上がってくる。「針で刺すという行為について考えながら制作をしています」――それに答えはないだろうが、刺し続けることによって、日常に向き合い続ける。

（沙月樹京）

★小野愛×竹下真澄×平井豊果「アポリアの休日」
2020年9月26日（土）～10月11日（日）月・火曜休 12:00～19:00 入場無料
場所／東京・国立 shuuue http://shuuue.net/

千人針を縫うかのように、
ひと針ひと針に
思いを込める

◉文＝沙月樹京

★《日没を告げに》2020年、178×238mm、アクリル / キャンバス

# 日没教を信仰する
# 日没の国へ、ようこそ

## HAEDA Shiki

蠅田 式

★《降誕祭》2020年、242×303mm、アクリル / ケント紙

★《日没の国》2020年、210×297mm、アクリル / ケント紙

★《常日暮》2020年、210×297mm、アクリル / ケント紙

★《黄昏海》2020年、210×297mm、アクリル / ケント紙

★（左上から時計回りに）
《夕暮装束夏橙》2019年、160×273mm、アクリル / ケント紙
《夕暮装束春桃》2019年、160×273mm、アクリル / ケント紙
《夕暮装束秋紅》2019年、160×273mm、アクリル / ケント紙
《夕暮装束冬白》2019年、148×210mm、アクリル / ケント紙

★《夕暮装束秋祭》2019年、150×150mm、アクリル / ケント紙

# 日の当たらない世界の方が生きやすい者たちのために新しい宗教を創作

仏教や神道、ヒンドゥー教など、さまざまな宗教に登場する神様などをモチーフにキャラクターを描くのは、マンガやゲームなどの世界ではさんざんおこなわれている。そうしたものに発想の源を求めれば、その存在の背後にある物語性を借用できるのと、ユーザも親しみやすく受け入れられるということもあるのだろう。

蝿田式も多くの宗教を学び、感化され、それを絵に取り入れてきた作家だ。ポップな色彩で、さまざまなキャラクターを生み出している。しかし蝿田が目指すのは、既存の宗教の後追いではなく、その作品を描くことで新たな宗教を創作することなのだという。そう書くとなんだか胡散臭さが漂うが、それは蝿田も認識していて、怪しいと指さして笑ってもらっていいのだそうだ。その怪しさを楽しむこともポップで現代的で、そして日本ならではといえるかもしれない。

だが蝿田の作品の根底にあるのは、現代の生きにくさである。蝿田は言う。「日の当たる明るい世界よりも、日の当たらない暗い世界の方が生きやすいという人間は、思いのほか多いのではないか」。だから自身の創出する宗教を「日没教」と名付けた。夕方と夜の国「日没の国」において信仰されている宗教だ。

そうはいっても、暗くジメジメした雰囲気は蝿田の作品にはない。エネルギッシュでそれぞれの魅力を存分に放っているキャラが並ぶ。「日没」だからといって気後れすることはない、堂々と胸を張って「日没教」を唱えればいいのだ、と、勇気づけているようにも感じる。さぁあなたも、「日没の国」へようこそ。（沙月樹京）

※蝿田式個展「日没の国」は、2020年7月11日〜15日に、大阪・中崎町のSUNABAギャラリーにて開催された。

★《薬師如来》2017年、297×420mm、アクリル / ケント紙

◉文＝沙月樹京

# 耽美なその姿から薫る死の気配

★《花開く音》2018年、211×298mm、顔彩・絵墨・胡粉／紙・パネル

## Shigakuka SHOWTA

四学科　松太

★《ポストモーテル・フォトグラフィー》2018年、300×420mm、顔彩・絵墨・胡粉 / 紙

★《天国か地獄か》2018年、405×300mm、顔彩・絵墨・胡粉 / 紙

★《黒衣の天使》2020年、334×420mm、顔彩・絵墨・胡粉 / 紙

★《罪と罰》2018年、211×298mm、顔彩・絵墨・胡粉・金泥 / 紙・パネル

★《忘却の夢路》2018年、211×298mm、顔彩・絵墨・胡粉 / 紙・パネル

★《なんでもない日》2020年、298×385mm、顔彩・絵墨・胡粉 / 紙

★《MOUSETRAP》2019年、455×530mm、顔彩・絵墨・胡粉・水彩鉛筆 / 紙・パネル

★《夜の支配人》2020年、105×150mm、顔彩・絵墨・胡粉 / 紙

# 枷から解放され、性別からも自由になった者たちの世界

少年をモチーフに、頽廃的・耽美的な世界を描いている四学科松太。ガリガリの身体、生気のない表情、どことなく死の気配を漂わせ、この世の終わりを受け入れているかのようにも見える。

今回の個展のタイトル「聖者の行進」は、ニューオリンズでは葬儀の行進曲として使われているジャズの名曲。天国へ行くことを祝うその曲に、同じくこの世界の枷から解放された少年たちの姿を重ね合わせる。そう、この少年たちは、喜びや悲しみ、誕生や死を、社会などによる枷にはめられることなく、素直に感じ取っている存在なのだ。

しかも実は、この存在を「少年」と称することも正しくない。この存在は、性という枷からも解放された者なのだ。性別は重要なことでもなく、どちらでもないし、どちらでもいい、そう松太は言う。

その「少年」たちのいる理想郷が、「聖者の行進」の果ての死の世界だとしたら、少々物悲しい。だが、子供から大人になるにつれてさまざまな枷がはめられ、生きづらくなっていくのがこの世だとするなら、別れを告げても惜しくないと考えているのかもしれない。

（沙月樹京）

※四学科松太個展「聖者の行進」は、2020年6月27日〜7月1日に、大阪・中崎町のSUNABAギャラリーにて開催された。

◉文＝沙月樹京

遠い幻想の向こうを
覗き見る

◉INFORMATION◉

萌木ひろみ×生熊奈央
「モルペウスの共生」展

★萌木ひろみ《共生》2020年、410×318mm、パネル・モデリングペースト・モノタイプ

★萌木ひろみ《茫漠たる現し身》2020年、410×318mm、パネル・モデリングペースト・モノタイプ

★（右頁）生熊奈央《朝陽》2020年、295×210mm、エッチング

# 耽美と異形の深淵を夢想させる濃密な世界

萌木ひろみと生熊奈央の2人展が、東京・小伝馬町のみうらじろうギャラリーbisで開催される。萌木ひろみは、谷崎潤一郎にインスパイアされた耽美的で妖艶な絵画作品で知られているが、昨今は版に直接描画するモノタイプによる版画作品を手がけており、今回の2人展でもその版画を中心に出品する。

萌木の版画作品は、絵画に較べると、異端的なエロティシズムをよりストレートに放っている。黒い下着に赤い唇。ぼんやりにじんだような画面にうっすら浮かび上がるその姿は、リアルでありながらも、遠い幻想の向こうを覗き見ているかのようで、どことなく郷愁を誘う。

一方、生熊奈央は、本誌file.22でも紹介した銅版画家だ。高校の授業でエッチングを学んだ際に、針（ニードル）の描き心地と銅版画インク特有の黒の深さ、それに表現できる線の密度の高さに感動して銅版画を志すようになったという。作品を見ればまさにその通り、非常に細かな密度で引かれた線によって、この世ならざる幻想を出現させている。密集した線から生まれるさまざまなイメージが重なり合って画面を埋め尽くし、そこから異形の存在が顔を覗かせる。どこまでも深い幻想の森だ。

2人展は、ギリシア神話における夢の神「モルペウス」をタイトルに冠した。モルペウスのように幻想や夢想を奏で、耽美と異形の深淵を垣間見させてくれる濃密な展示を期待しよう。

（沙月樹京）

★（上）生熊奈央《種の寝床》2019年、200×150mm、エッチング
（下）生熊奈央《聞き耳》2019年、100×80mm、エッチング

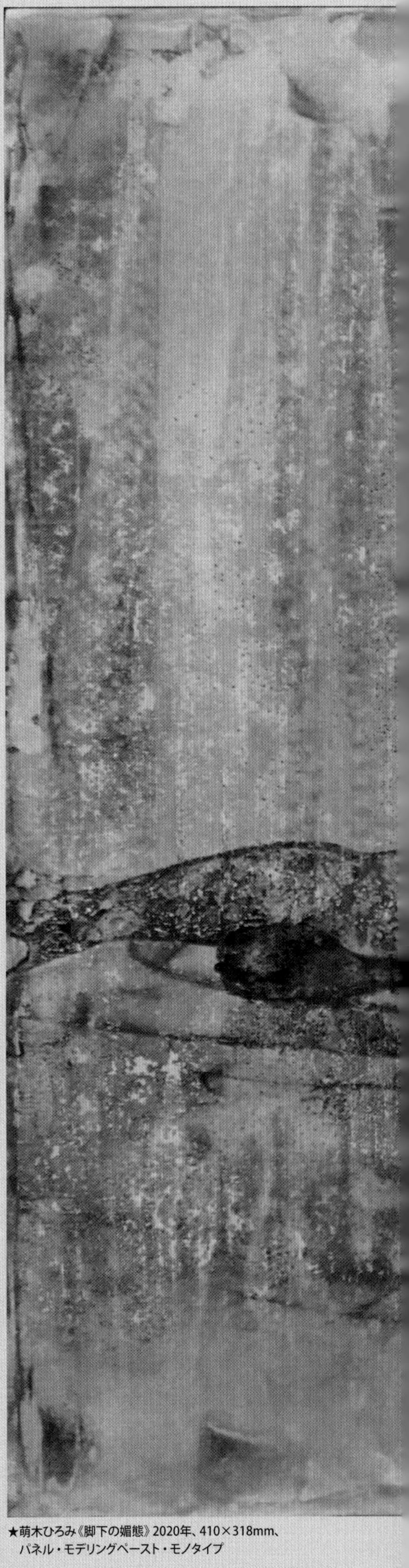

★萌木ひろみ《脚下の媚態》2020年、410×318mm、
パネル・モデリングペースト・モノタイプ

**★萌木ひろみ×生熊奈央**
**「モルペウスの共生〜異界と耽美が織りなす世界」**
2020年10月21日（水）〜29日（木）月・火曜休
12：00〜19：00（初日は15：00〜） 入場無料
企画・主催／TEAM-TAN
場所／東京・小伝馬町 みうらじろうギャラリーbis
Tel.03-6661-7687
http://jiromiuragallery.com/bis.html

●文=沙月樹京

# TERASAWA Chieko

## 寺澤　智恵子

★《夜想》2020年、タテ260×ヨコ194mm、エッチング

★《あの人、軽やかに離陸した人》2020年、150×183mm、エッチング・アクアチント

★《夜暮塔》2020年、150×183mm、エッチング・アクアチント

★《領分》2010年、430×360mm、エッチング・アクアチント

# 歪んだ建築空間に広がる<br>静謐な夢幻世界

★（右頁）《モラトリアム・タワー》2010年、600×450mm、エッチング・アクアチント

★《夏と設計の終り》
2006年、300×365mm、
エッチング・アクアチント

★《りんごテーブル》2011年、455×500mm、エッチング・アクアチント

★（左頁）《第七号室》2014年、365×258mm、エッチング・アクアチント

★《連絡船》2010年、140×100mm、エッチング・アクアチント

★《未来のイヴⅡ》2010年、140×100mm、エッチング・アクアチント

★《35日間の不思議》2014年、183×100mm、エッチング・アクアチント

★《merry go round》2010年、185×300mm、エッチング・アクアチント

★《train bar》2011年、185×300mm、エッチング・アクアチント

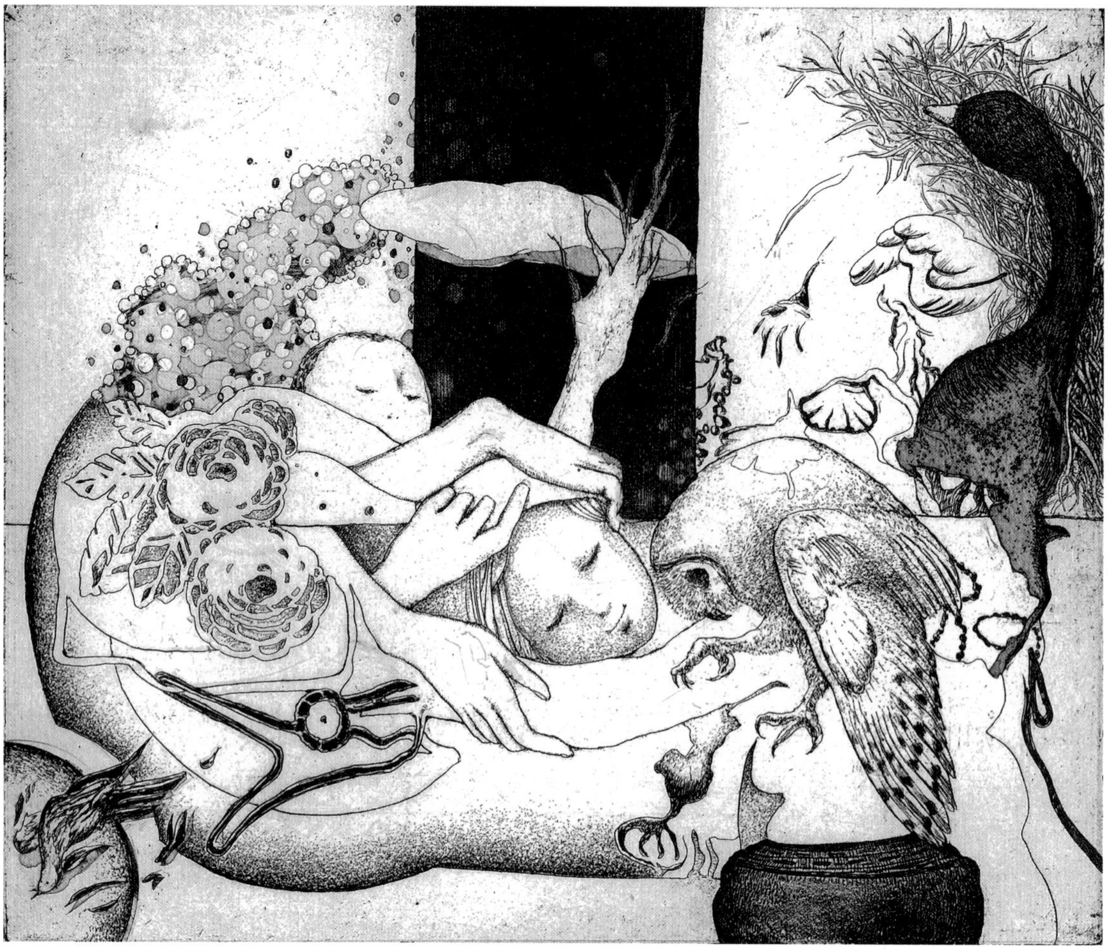

★《夢見る機関》2020年、150×183mm、エッチング・アクアチント

★《ヨズクの約束》2018年、175×145mm、エッチング・アクアチント

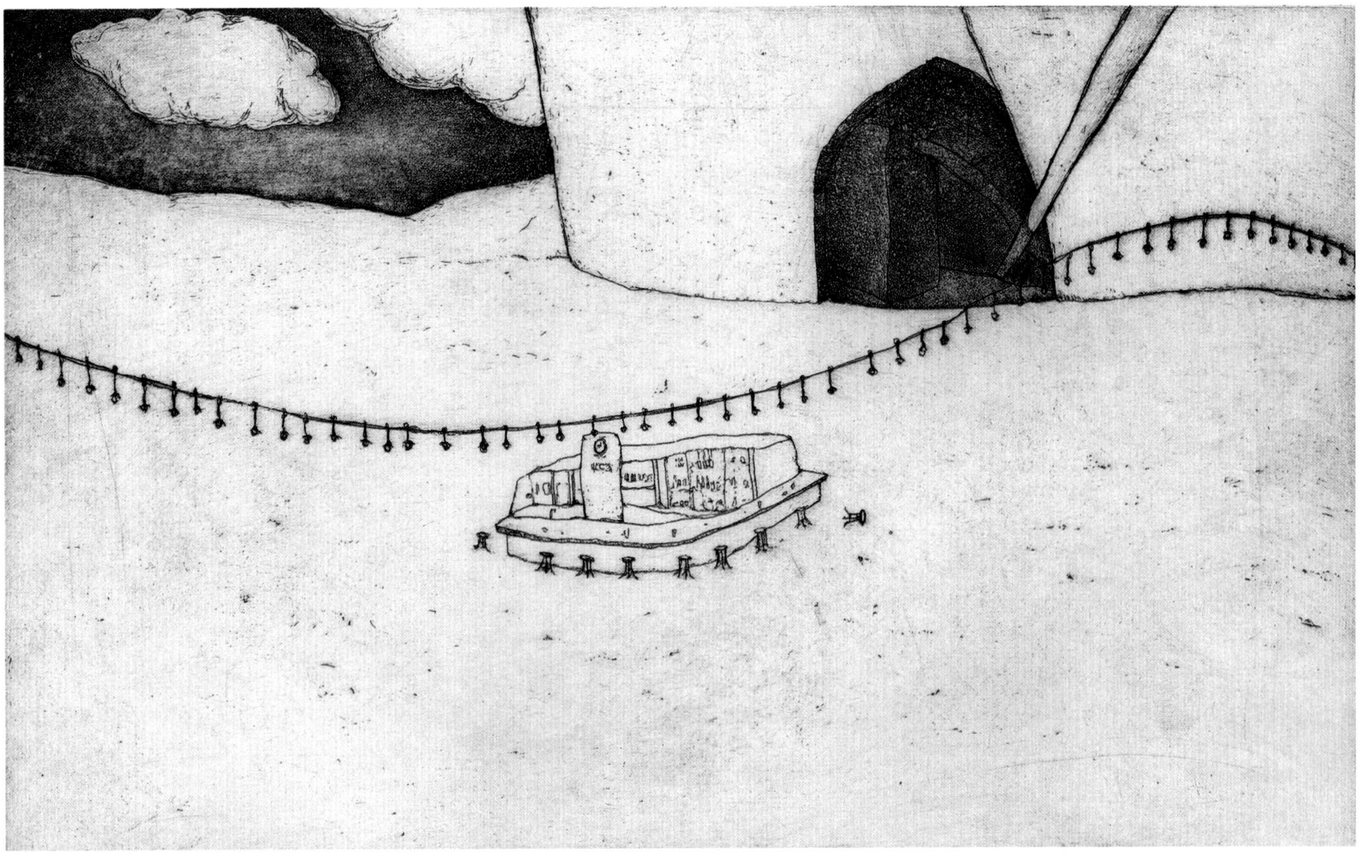

★《Bar》2006年、185×300mm、エッチング・アクアチント

★《coda》2015年、150×180mm、エッチング・アクアチント

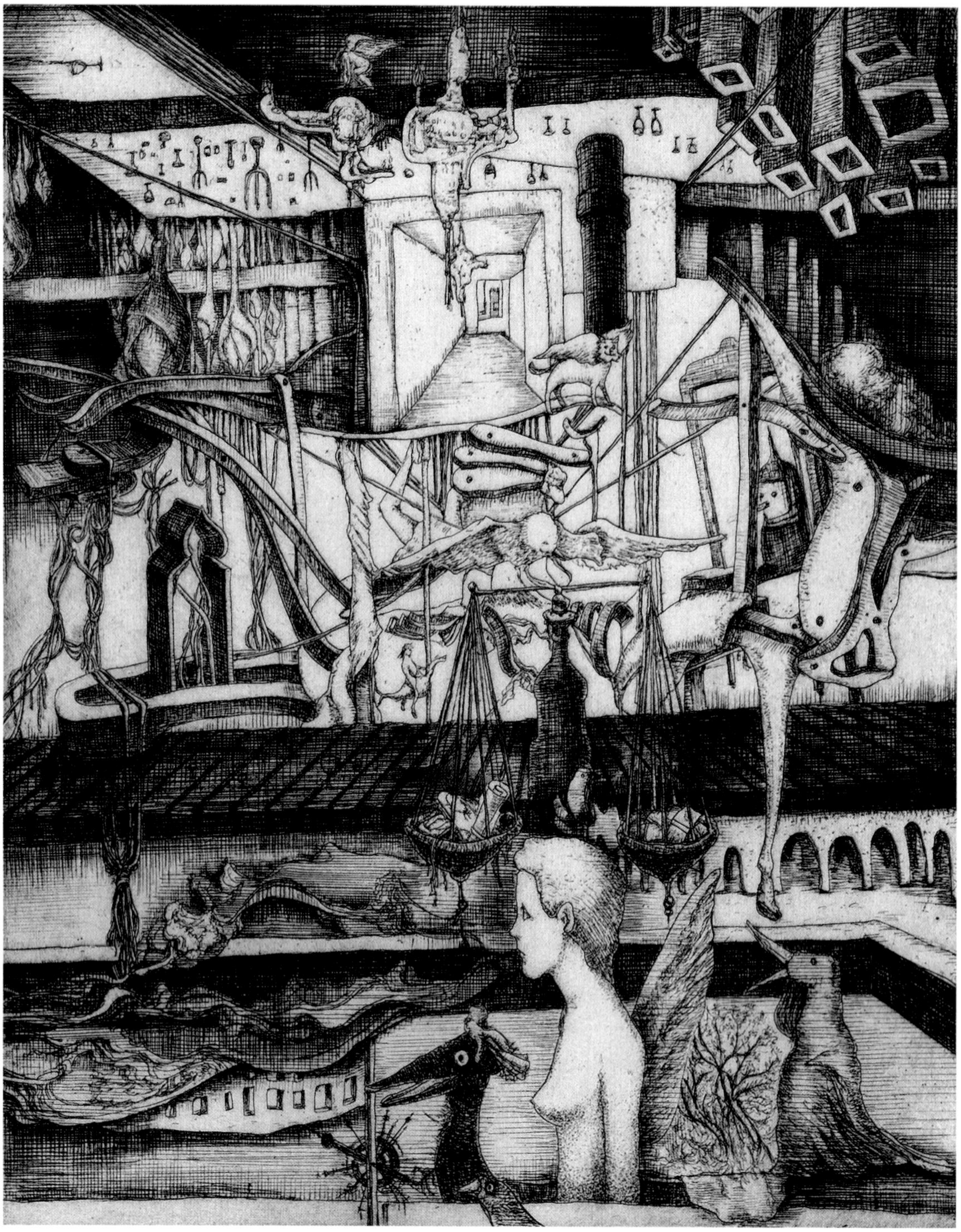

★《回想録》2008年、150×183mm、エッチング・アクアチント

# はるかなる
# 心象の迷宮へいざなう
# 幻想的な銅版画

広角レンズで覗いたかのように歪んだ柱や床。それらが錯綜し合い、迷宮のような空間を形作っている。18世紀の版画家ピラネージによる牢獄のシリーズを彷彿とさせる密度の高い画面だが、寺澤智恵子が生み出すものは、空間のうねりによって、その空間自体が成長しているかのような生命力をも感じさせる。

いやもしかして——たとえば《モラトリアム・タワー》では、手前右側に本を読んでいる少女がいる。《夏と設計の終り》では手前の舟の中に少女が横たわり、彼女は双眼鏡を覗いているのだろうか。《領分》においても床に伏せた少女の姿をいくつか確認することができる——うねるような建築物や空間は、こうした少女たちの幻想なのかもしれない。どこまでも幻想は広がり、それに従って空間を拡張していく。もしそうならこの空間は、ピラネージのように人を幽閉するものではないだろう。

寺澤は、夢で見た光景や心象風景をもとに銅版画を制作しているのだという。建築空間を描いたものはその代表的な作品だ。静謐でどことなく孤独感も漂うが、その空間に脅威は感じず、むしろ心地よい——しかもそれは、タナトスに彩られた夢幻世界を希求する心情と共鳴した心地よさである。

その寺澤の代表作など約20点を展示する個展が、京都のアスタルテ書房で開催される。画業の軌跡を回顧しながら、情感豊かな心象の世界をじっくり味わえる展示だ。

寺澤はこのような幻想的・心象風景的な作品で書籍の装画や雑誌の挿絵も手がける一方、アニマルシリーズとして、動物をモチーフとしたかわいらしく軽妙な作品も制作しており、こちらも人気だ。

（沙月樹京）

★寺澤智恵子 個展
2020年10月16日（金）〜28日（水）木曜休
14:30〜19:30 入場無料
場所／京都・京都市役所前 アスタルテ書房
Tel.075-221-3330
http://librairie-astarte.com/

## ◎TH Art series

◎新刊

**鴛籠真太郎 画集「死詩累々」**
978-4-88375-403-8／B5判・128頁・カバー装・税別3200円
●奇想漫画家・鴛籠真太郎、初の本格的画集! 猟奇的だけど可愛らしく、アブノーマルだけどユーモラスな、不謹慎すぎるアートワークの全貌!

**タイナカジュンペイ 写真集「Undine─ウンディーネ」**
978-4-88375-410-6／A4変型判・32頁・並製・税別2000円
●水面にゆらぐ裸体──時間と空間の旅を続ける写真家が世界7都市で捉えた水の表層の鮮やかさの瞬間。タイナカ初の写真集!

**北見隆 装幀画集「書物の幻影」**
978-4-88375-398-7／B5判・96頁・ハードカバー・税別3200円
●赤川次郎、恩田陸、中島らも、津原泰水…あのワクワクは、この絵とともにあった! 40年の装幀画業から、約400点を収録した決定版画集!

**高田美苗 作品集「箱庭のアリス」**
978-4-88375-393-2／B5判・64頁・ハードカバー・税別2700円
●混合技法によるタブローから銅版画まで、少女をモチーフとした夢幻世界を描き続ける高田美苗の軌跡を集約した、待望の作品集!

**たま(絵) 最合のぼる(文・写真・構成)**
**「夜間夢飛行～暗黒メルヘン絵本シリーズ2」**
978-4-88375-392-5／B5判・64頁・カバー装・税別2255円
●《暗黒メルヘン絵本シリーズ》第2弾は少女主義的水彩画家・たまが登場!「残酷で愛らしい、手加減なしの毒入り絵本です」─林美登利

**黒木こずゑ(絵) 最合のぼる(文・写真・構成)**
**「一本足の道化師～暗黒メルヘン絵本シリーズ1」**
978-4-88375-370-3／B5判・64頁・カバー装・税別2255円
●妖しい世界へいざなう、絵と写真によるヴィジュアル物語! アンデルセンなどの童話を元に生まれた《暗黒メルヘン絵本シリーズ》第1弾!

**森環 画集「ネコの日常・非日常」**
978-4-88375-388-8／四六判・64頁・ハードカバー・税別2200円
●ファッション大好き、読書も好きで…ほんとにネコって、不思議! そんなネコのくらしをのぞいてみた、かわいくてちょっぴり奇妙な画集!

◎少女系画集

**たま 画集「Calling～少女主義的水彩画集VI」**
978-4-88375-357-4／B5判・52頁・ハードカバー・税別2750円
●"現代の少女聖画"。ダーク＆キュートな作品で人気のたまの画集、第6弾! 折込み塗り絵や、中野クニヒコによる立体作品も収録!

**安蘭 画集「BAROQUE PEARL～バロック・パール」**
978-4-88375-213-3／A5判・72頁・ハードカバー・税別2750円
●哀しみや痛みなどを包み込み、いびつだからこそ心を灯す、安蘭の"美"。耽美画家・安蘭の約10年の軌跡を集約した待望の画集!

**深瀬優子 画集「Kingdom of Daydream～午睡の王国」**
978-4-88375-167-9／A5判・64頁・ハードカバー・税別2750円
●油彩とテンペラの混合技法などによりメルヘンチックで愛らしく、でも少しシュールな作品を描き続けている深瀬優子の初画集!

**須川まきこ 画集「melting～融解心情」**
978-4-88375-137-2／A5判・112頁・ハードカバー・税別2800円
●欠けていることのエレガンスをセンシティブに描く須川まきこ待望の画集!〝まるで わたしは つくりものの 人形〟

**根橋洋一 画集「秘蜜の少女図鑑」**
978-4-88375-154-9／A5判・64頁・ハードカバー・税別2800円
●原色に埋もれたイノセントでセクシュアルな少女たちのコレクション! 少女への幻想に彩られた根橋洋一の世界を集約した処女画集!!

**こやまけんいち 画集「少女たちの憂鬱」**
978-4-88375-096-2／A5判・64頁・ハードカバー・税別2800円
●痛みと遊ぶ少女たちを繊細に描く。女の子たちは完全すぎて、傷つけないではいられない。鋏で、サクリと。─西岡智(西岡兄妹)

◎幻想画集

**スズキエイミ 作品集「Eimi's anARTomy 102」**
978-4-88375-358-1／B5判・64頁・ハードカバー・税別2750円
●"美の本質は肉体、肉体の本質は死"。名画などを巧みに組み合わせて作り上げられた解剖学的でシニカルな美の世界。国内初の作品集!

**森環 画集「愛よりも奇妙～Stranger than love」**
978-4-88375-264-5／B5判・64頁・ハードカバー・税別2750円
●なんて奇妙な、ワンダーランド!「ボローニャ国際絵本原画展」入選など、不思議な世界観で人気の画家の幻想的な鉛筆画集!

**椎木かなえ 画集「同じ夢～Same Dream～」**
978-4-88375-252-2／A5判・64頁・ハードカバー・税別2750円
●闇に住まう人の、いびつな愛と、不穏な夢。奇妙で秘儀的な心象風景が、観る者を夢幻の世界へ導く、椎木かなえの初画集!!

**町野好昭 画集「La Perle(ラ・ペルル)─真珠─」**
978-4-88375-132-7／A5判・64頁・ハードカバー・税別2800円
●中性的な少女の純化されたエロスを描き続けてきた孤高の画家、町野好昭の幻想世界をよりすぐった待望の作品集!

◎杉本一文画集

**「杉本一文『装』画集～横溝正史ほか、装画作品のすべて」**
978-4-88375-287-4／A4判・128頁・カバー装・税別3200円
●横溝正史といえば、杉本一文。数多く手がけてきた装画作品の中から、横溝作品を中心に約160点を精選して収録した待望の画集!!

**「杉本一文銅版画集」**
978-4-88375-286-7／A5判・128頁・カバー装・税別2500円
●幻想とエロスの桃源郷──杉本一文のもうひとつの顔、銅版画の代表作を装画作品から蔵書票まで約200点収録!

◎写真集

**珠かな子 写真集「いまは、まだ見えない彗星」**
978-4-88375-371-0／B5判・64頁・ハードカバー・税別2700円
●私にとってセルフポートレートは〝可愛さと強さの脅迫〟だ。私たちには無数の未来があって、女の子は強くなれる。待望の写真集!!

**村田兼一 写真集「月の魔法」**
978-4-88375-354-3／B5判・96頁・ハードカバー・税別3200円
●禁忌を解く魔法──月乃ルナをモデルに生み出された、マジカルで濃密なエロスに満ちたおとぎの世界。

**美島菊名 写真作品集「HOPE」**
978-4-88375-308-6／B5判・64頁・ハードカバー・税別2750円
●少女よ あなたは 世界を変える──少女の無垢と欲望を、インパクトあるヴィジュアルで表現してきた美島菊名、初の写真作品集!

◎人形・オブジェ作品集

**神宮字光 人形作品集「Cocon」**
978-4-88375-378-9／A5判・64頁・ハードカバー・税別2700円
●ビスクなどで作られた愛おしい人形達がさまざまなシチュエーションの中で遊ぶ、かわいくも、ときにシュールでミラクルな世界!

**田中流 球体関節人形写真集「Dolls～瞳の奥の静かな微笑み」**
978-4-88375-373-4／A5判・96頁・カバー装・税別2300円
●若手からベテランまで、多彩なタイプの球体関節人形を撮影し、その魅力とともに、現代の創作人形の潮流をも写した写真集!!

**清水真理 人形作品集「Wonderland」**
978-4-88375-364-2／B5判・64頁・ハードカバー・税別2750円
●肉体と霊魂、光と闇、聖と俗…それらの狭間で息づく、人形たちのワンダーランド。多彩な活躍を続ける清水の近年の作品の魅力を凝縮!

**清水真理 人形作品集「Wachtraum(ヴァハトラウム)～白昼夢」**
978-4-88375-217-1／A5判・64頁・ハードカバー・税別2750円
●映画「アリス・イン・ドリームランド」に提供した人形(田中流撮り下ろし)や、吉成行夫撮影の吸血鬼シリーズなど満載の人形作品集。

**芳賀一洋 作品集「錠前屋のルネはレジスタンスの仲間」**
978-4-88375-331-4／A5判・224頁・並製・税別2222円
●リアルにつくり上げられた驚きのミニチュア・ワールド! はが いちよう の 抒情あふれる世界をおさめた、ノスタルジックな作品集。

**ホシノリコ 作品集「蒼燈のばら」**
978-4-88375-326-0／B5判・64頁・ハードカバー・税別2750円
●艶かしく息づく球体関節人形、幻想的な物語奏でるオブジェ。ホシノの10年の歩みをまとめた待望の作品集! 写真＝吉田良、田中流

**与偶 人形作品集「フルケロイド FULLKELOID DOLLS」**
978-4-88375-265-2／A5判・68頁・ハードカバー・税別2750円
●園子温推薦! 多くの人の心に突き刺さっている、凄みのある作品たち。20年の作家生活をここに総括。横4倍になる綴じ込み2枚付!

**木村龍 作品集「光速ノスタルジア」**
978-4-88375-245-4／B5判・96頁・ハードカバー・税別3500円
●ボックスアートから彫像的作品、球体関節人形、絵画などまで、妖美で奇嬌、かつ純真な世界を濃密に凝縮した、待望の初作品集!!

**林美登利 人形作品集「Night Comers～夜の子供たち」**
978-4-88375-288-1／A5判・96頁・ハードカバー・税別2750円
●異形の子供たちは、夜をさまよう──「Dream Child」に続く、人形・林美登利、写真・田中流、小説・石神茉莉のコラボ、第2弾!

**森馨 人形作品集「Ghost marriage～冥婚～」**
978-4-88375-236-2／B5判・64頁・ハードカバー・税別2750円
●妖しい美しさと、哀しいエロスを湛えた、森馨の球体関節人形。その蠱惑的な肢体を写真家・吉成行夫が撮影した、闇の色香ただよう写真集!

**北見隆 作品集「本の国のアリス～存在しない書物を求めて」**
978-4-88375-223-5／A5判・64頁・ハードカバー・税別2750円
●本そのものが、「アリス」の物語の、愉快な舞台《ワンダーランド》に! 本の形をした"ブックアート"を中心に、不思議な物語に満ちた作品集!!

**菊地拓史 オブジェ集「airDrip」**
978-4-88375-229-4／A5判・64頁・ハードカバー・税別2750円
●「夢と現の境を揺蕩う、幻視の錬金術師」─手塚眞。菊地拓史が贈るオブジェと言葉のブリコラージュ。その世界を本で表現した一冊。

## ◎ExtrART（エクストラート）～異端派ヴィジュアルアート誌

### file.25◎FEATURE：ヒトガタは語る
A4判・112頁・並装・1200円（税別）・ISBN978-4-88375-408-3
●三浦悦子、Mekkedori、ヒロタサトミ、垂狐、田野敦司、日隈愛香、横倉裕司、羅入、成田朱希、サワダモコ、山本有彩、塙興子ほか

### file.24◎FEATURE：幽玄を垣間見る
A4判・112頁・並装・1200円（税別）・ISBN978-4-88375-395-6
●上田風子、高田美苗、濱口真央、奥田鉄、土田圭介、南花奈、白野有、武田海、村山大明、日影眩、神宮字光、黒木こずゑ×最合のぼる

### file.23◎FEATURE：秘めた、この思い
A4判・112頁・並装・1200円（税別）・ISBN978-4-88375-385-7
●池田ひかる、新宅和音、谷原菜摘子、野原tamago、井桁裕子、朱華、日野まき、菊地拓史・森馨、田中流、渡邊光也、千葉和成、TOKYO 2021 美術展

### file.22◎FEATURE：隠されていた"美"
A4判・112頁・並装・1200円（税別）・ISBN978-4-88375-372-7
●蛭田美保子、スズキエイミ、椎木かなえ、たま、Kamerian、ディナ・ブロツキー、井上洋介、生熊奈央、衣（はとり）、垂狐、ベルリン・悪魔の山 ほか

### file.21◎FEATURE：うつろう、イメージ
A4判・112頁・並装・1200円（税別）・ISBN978-4-88375-360-4
●菅澤薫、大河原愛、有坂ゆかり、大塚咲×七菜乃、夜乃雛月、ニコライ・バタコフ、亜由美、櫻井紅子、吉田有花×ある紗、大島哲以 ほか

### file.20◎FEATURE：夢幻の国を逍遥する
A4判・112頁・並装・1200円（税別）・ISBN978-4-88375-346-8
●佐久間友香、木村了子、中村キク、永井健一、長谷川友美、P.ファーガソン、池島康輔、須川まきこ、立島夕子、こやまけんいち、松下まり子 ほか

### file.19◎FEATURE：その存在の、ミステリアス
A4判・112頁・並装・1200円（税別）・ISBN978-4-88375-338-3
●藤井健仁、棚田康司、モリケンイチ、後藤温子、中井結、トロイ・ブルックス、ホシノリコ、新竹季次、中川ユウキチ、宮本香那、江村玲 ほか

### file.18◎FEATURE：イノセンスが見る夢
A4判・112頁・並装・1200円（税別）・ISBN978-4-88375-323-9
●美島菊名、Risa Mehmet、泥方陽菜、雨宮沙月、月夜乃散歩、ローズ・フレイマス-フレイザー、松永賢、勝野眞言、高松ヨク ほか

### file.17◎FEATURE：説話的世界へようこそ
A4判・112頁・並装・1200円（税別）・ISBN978-4-88375-315-4
●夢島スイ、フォレスト・ロジャース、深瀬優子、ある紗、渡辺つぶら、ごとうゆりか、佐藤久雄、大江慶之、安蘭、ドイツのグラフィティ ほか

### file.16◎FEATURE：心の中の原初の光景
A4判・112頁・並装・1200円（税別）・ISBN978-4-88375-304-8
●白野有、髙木智広、ANNEKIKI、塩野ひとみ、シマザキマリ、シチョルドル、磯村暖、清水真理、西牧徹、澁澤龍彦 ドラコニアの地平 ほか

### file.15◎FEATURE：異形の世界に住まう者
A4判・112頁・並装・1200円（税別）・ISBN978-4-88375-297-3
●椎木かなえ、熊澤未来子、根橋洋一、土田圭介、林美登利、愛実、カテリーナ・ベルキナ、町田結香、中島祥子、大澤晴美、真木環 ほか

### file.14◎FEATURE：幻視者たちの夢想
A4判・112頁・並装・1200円（税別）・ISBN978-4-88375-282-9
●謝敷ゆうり、松元悠、日隈愛香、飴屋晶貴、今井亜樹、七菜乃、ヴァルティルソン、与偶、ジョック・スタージス、「Bへのオマージュ」展 ほか

### file.13◎FEATURE：意識下に漂う幻想
A4判・112頁・並装・1200円（税別）・ISBN978-4-88375-269-0
●谷敦志、キム・ディングル、藪乃理子、吉井千恵、箕輪千絵子、高田美苗、蛭田美保子、夜乃雛月、「白鳥の歌～死の寓話」展 ほか

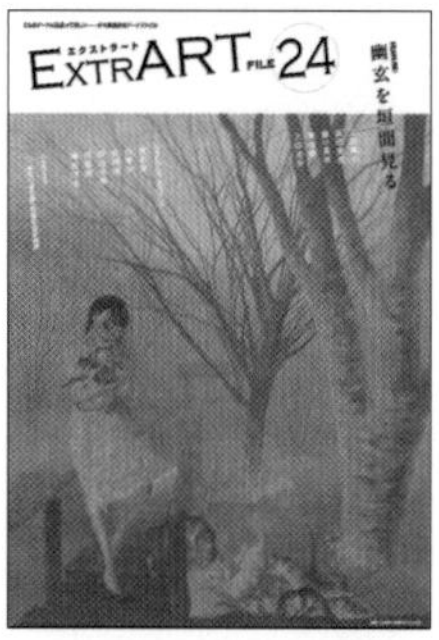

## ◎トーキングヘッズ叢書（TH Seires）

### No.83 音楽、なんてストレンジな！
A5判・224頁・並装・1389円（税別）・ISBN978-4-88375-412-0
●音楽は文化の結節点だ。パンクや電子音楽、ノイズなどから、クラシックまで、音楽をめぐる、少々ストレンジなイマジネーション！恍惚のアヴァンギャルド音楽偏愛史、パンクとポストパンクの思想的地下水脈、イスラムにおける音楽、近代日本の音楽の闇、ワーグナーの共苦と革命、バッハのもとに本当にニシンは降ったのか ほか

### No.82 もの病みのヴィジョン
A5判・224頁・並装・1389円（税別）・ISBN978-4-88375-402-1
●「病み」＝「闇」のヴィジョン。人形作家・与偶トークイベントレポ、梅毒をめぐる幾つかの逸話と謎、舞踏病と死の舞踏、「吸血鬼ノスフェラトゥ」とペストのパンデミック、草間彌生の小説『すみれ強迫』、美人薄命の文化史、病と日本人、舞踊家・土方巽の〈病み〉、澁澤龍彦と病、病弱な少年、「ジョーカー」、「ベニスに死す」ほか

### No.81 野生のミラクル
A5判・208頁・並装・1389円（税別）・ISBN978-4-88375-389-5
●野生からわれわれは何を学び、何を表現の糧にしてきたか。ケロッピー前田インタビュー～野生を取り戻してテクノロジーを乗りこなせ、管理された野生、粘菌、牧神、人豚、八化けタヌキ、シュルレアリスムのアフリカ、スクリーンの変身人間、キム・ギヨンが描く〝オス〟と〝メス〟、異類婚姻譚、動物フォークロア、映画『ZOO』ほか

### No.80 ウォーク・オン・ザ・ダークサイド～闇を想い、闇を進め
A5判・224頁・並装・1389円（税別）・ISBN978-4-88375-376-5
●新たな想像力は闇から生まれる。[図版構成]濱口真央、C7、新宅和音、紺野真弓、宮本香那、萌木ひろみ、谷原菜摘子。タスマニアの美術館MONA、書肆ゲンシシャの驚異のコレクション、日本の闇を感じさせるゲゲゲスポット紀行、闇の文学史～連鎖する自死、萩尾望都が描き始めた「楽園の裏側」、カタコンブという世界の裏ほか。

### No.79 人形たちの哀歌
A5判・240頁・並装・1389円（税別）・ISBN978-4-88375-363-5
●［図版構成］田中流写真作品（人形＝日隈愛香・SAKURA・ホシノリコ・舘野桂子）・清水真理・野原tamago・神宮字光、現代の〝生き人形〟～中嶋清八・井桁裕子・衣・森馨・佐藤久雄、菅実花とリボーンドール、ロボット・アンドロイド演劇の一〇年、映画『オテサーネク』と『マジック』ほか。追悼・遠藤ミチロウなども。

### No.78 ディレッタントの平成史～令和を生きる前に振り返りたい私の「平成」
A5判・256頁・並装・1389円（税別）・ISBN978-4-88375-350-5
●私たちが感じ取ってきた「平成」を振り返る。TH的・平成年表、極私的平成の三十年間（友成純一）、平成ゾンビ考～「終わりなき日常」から「サバイバル」へ、舞踏の平成、アニメ『どろろ』に見る内実の変容、死体ビデオと90年代悪趣味ブーム、SNSという「ネオ世間」の出現、IT盛衰、「今日の反核反戦展」、酒見賢一論ほか。

### No.77 夢魔～闇の世界からの呼び声
A5判・224頁・並装・1389円（税別）・ISBN978-4-88375-340-6
●不穏さに満ちた夢の世界。mizunOE、飴屋晶貴、亜由美、林良文、古代記紀神話から『君の名は。』まで、脳科学の見地から夢を解く、「メアリーの総て」と『フランケンシュタイン』の悪夢、『エルム街の悪夢』、エドガー・アラン・ポー、ラース・フォン・トリアー「ヨーロッパ」と鉄道普及史、孫悟空の異世界彷徨 ほか。

### No.76 天使／堕天使～閉塞したこの世界の救済者
A5判・224頁・並装・1389円（税別）・ISBN978-4-88375-330-7
●天使や堕天使から発した想像力。村田兼一、ホシノリコ、『ベルリン・天使の詩』、ボカノウスキー『天使』がいたころ、天使と日本人、イスラムの堕天使たち、「天使の玉ちゃん」と〈失われた子供時代〉、『デビルマン』飛鳥了、熊楠の天使／天子と男色ほか。ジャ・ジャンクー論（藤井省三）、アジアフォーカス2018レポなども。

## アトリエサードの出版物の購入のしかた・通信販売のご案内

●アトリエサードの出版物が書店店頭にない場合は、書店へご注文下さい（発売＝書苑新社と指定して下さい。全国の書店からOK）。
●Amazonなどネット書店もご活用下さい。

**●出版物の詳細はサイト http://www.a-third.com/ へ！ ネット通販でもご購入できます。**
■各書籍の詳細画面でショッピングカートがご利用になれます。■郵便振替 / 代金引換 / PayPal で決済可能。

■インターネットをご利用になれない方は、郵便局より郵便振替にて直接ご送金いただいても結構です（ここに掲載している値段は税別なので、必ず消費税を加算して下さい。送料は不要。また連絡欄に希望書名・冊数を明記のこと）。入金の通知が届き次第、発送します（お手元に届くまで、だいたい5～10日ほどお待ち下さい）。振込口座／00160－8－728019　加入者名／有限会社アトリエサード
■また TEL.03-6304-1638 にお電話いただければ、代金引換での発送も可能です（取扱手数料350円が別途かかります）

出版物一覧
アトリエサードHP
AMAZON(書苑新社発売の本)